一気に
わかる!

池上彰の世界情勢2024

ガザ紛争、
ウクライナ戦争で
分断される世界編

はじめに

２０２４年は「選挙イヤー」。世界各地で指導者を選ぶ選挙が実施されます。選挙の結果次第では、世界が大きく変わるかもしれません。果たしてどんな年になるのでしょうか。

１月13日には台湾の総統選挙が行われます。総統とは台湾のトップのこと。大統領のような存在です。これまで台湾の総統は、民進党が務めていました。民進党は、大陸の中国とは距離を置いておこうという政党です。これに対し野党の国民党は、「中国と仲良くしよう」と考えています。

今回はさらに台湾民衆党という政党からも立候補しています。中国は、台湾を自国に取り込みたいと考えているので、「中国と仲良くしたい」という国民党の代表が当選するのを期待して、台湾の人を装って民進党の批判をＳＮＳで発信しています。さて、台湾の人たちはどんな判断をするのでしょうか。

3月15日から17日まではロシアの大統領選挙です。国土が広いので、投票は3日間にわたります。選挙の前からウラジーミル・プーチン大統領の再選が確実視されています。というのも、最大のライバルといわれているアレクセイ・ナワリヌイ氏は逮捕されて裁判中。選挙には立候補できないのです。

でも、プーチン大統領としては「選挙で勝った」という形をとりたいので、絶対に当選の見込みのない人を立候補させるのではないかと見られています。

プーチン大統領は、ウクライナへの軍事侵攻に踏み切った人ですから、ロシア国内で人気がないのではないかと見る人もいます。実際には、地方を中心に「強い指導者」というイメージを作り上げているので、プーチン大統領は悠々《ゆうゆう》と当選するのではないかと見られています。

11月5日はアメリカ大統領選挙です。現職のジョー・バイデン大統領（民主党）は再選を目指していますし、共和党のドナルド・トランプ前大統領も立候補に名乗りを上げています。2人とも高齢で、さらに4年間の激務に耐えられるのだろうかという不安の声も高まっていますが、ほかに若手で有力な人が見当たりません。トランプ前大統領は、「自分が当選したら、ウクライナの戦争は一日で終わらせてみせる」と主張しています。というのも、ウクライナへの支援を止めるからです。「アメリカ国民の税金はアメリカのために使うべきで、ヨーロッパの戦争はヨーロッパに任せよう」というわけです。でも、それではウクライナは戦い続けることができなくなります。

また、地球温暖化防止のための国際的な約束「パリ協定」から再び離脱するでしょう。トランプ前大統領は、「温暖化はウソだ。石油をどんどん燃やせばいい」と主張しているからです。このように、アメリカの大統領が誰になるかで、世界は大きく変わるのです。

日本では9月に自民党の総裁選挙が実施されます。岸田文雄首相は自民党の総裁でもあります。果たして選挙を乗り切ることができるのでしょうか。

フランスでは7月26日から8月11日までパリオリンピック、そして8月28日から9月8日までパラリンピックが開かれます。環境のことを考えた大会になるというので、どんな大会になるのか注目しましょう。

一気にわかる！
池上彰の世界情勢2024
ガザ紛争、ウクライナ戦争で分断される世界編

目次

第2章 長期化するロシアのウクライナ侵攻

第3章 世界覇権を狙う中国、そして台湾・韓国・北朝鮮

第4章 情勢が緊迫する中東、ヨーロッパとグローバルサウス

第5章 課題が山積みの日本

ブックデザイン・図表・DTP　鈴木成一デザイン室
地図作成　福田正則（毎日新聞出版）
帯写真　髙橋勝視（毎日新聞出版）
構成　大谷智通
編集協力　森忠彦（毎日小学生新聞元編集長）
撮影協力　オークラ東京

第1章

どうなるアメリカ大統領選挙

2024年の米大統領選挙はバイデンvs.トランプの再対決か

アメリカでは大統領選挙が4年に1度、夏季オリンピック・パラリンピックが開催される年の11月初めに実施されます。2024年は、まさにその大統領選挙の年です。世界に対し非常に大きな影響力を持つ国のトップを決める選挙ですから、すでに世界中がその行方を注視しています。

大統領選挙にはさまざまな政党の候補者が立候補しますが、アメリカの政治では共和党と民主党という二つの政党が飛び抜けて強い力を持つため、実質的にはこの二つの政党の候補者の一騎打ちとなります。

私が本書を執筆している2023年12月現在、各党の候補者選びはまだ本格化していません。民主党も共和党も正式な候補者が決まるのは夏の党大会です。

右●選挙人の過半数獲得に向けて優勢となり、米デラウェア州で演説する民主党のバイデン氏＝2020年11月4日（ロイター＝共同）
左●米大統領選の開票が進む中、ワシントンD.C.のホワイトハウスで演説する共和党のトランプ大統領（当時）＝2020年11月4日（ロイター＝共同）

ただおそらく、民主党はジョー・バイデン（ジョセフ・ロビネット・バイデン・ジュニア）大統領を、共和党はドナルド・トランプ前大統領を大統領候補として指名することになるでしょう。

実際には、多数の候補者が名乗り出て大統領候補指名をめぐる争いが繰り広げられるでしょうが、結局、「誰を候補に立てれば、党として大統領選挙に勝てるか」を考えたとき、この2人以外の候補者には今のところ存在感がありません。

当の本人たちは早々に立候補を表明して大統領選挙を戦う気満々です。しかし、米ハーバード大学などの調査によれば、アメリカ世論の約7割は、この2人の対決を望んでいないといいます。

バイデン氏の再選については、すでに歴代最高齢大統領である彼の心身の衰えが懸念されています。

バイデン氏はこれまでにもしばしば言い間違えや不規則発言をしたり、演説後に転倒したりといったことで、「年を取り過ぎている」と批判されてきました。仮に2024年の大統領選挙でバイデン氏が再選すると、2期目を務め終えるときには86歳となります。そのような高齢者に、アメリカという大国のかじ取りが適切にできるのかという国民の不安はもっともです。

ただ、トランプ氏もバイデン氏より4歳年下というだけですから、「両者とも高齢であり、年齢という点ではどちらも大統領にふさわしくない」という意見もあります。

バイデン政権の政策については、2020年以降のコロナ禍での大規模な経済対策が強力なインフレを招き、国民の実質的な所得を減少させたという批判があります。ただ、低い失業率や賃金の大幅な上昇もあり、アメリカ経済は全体としては非常に好調です。

バイデン氏は就任時に、メキシコとの国境沿いに「壁」を建設するなどのトランプ氏のとっていた強硬な不法移民政策を、寛容なものに転換しました。しかし、これが不法移民の急増を招き、後に政策転換を強いられたことが批判されています。

一方のトランプ氏は、２０２０年の大統領選挙ではバイデン氏に敗れましたが、現在でも熱烈な支持者がいます。

元来、共和党のおもな支持層は、大企業や軍事関係者、キリスト教右派、保守派白人層などの富裕層でした。しかし、トランプ氏が大統領になって以降、低所得の労働者層が激増したとされています。

トランプ氏が掲げる「アメリカが最も大事であり、他国のことなどどうでもよい」という政策、そして過激かつ乱暴、しかしわかりやすい物言いに、それまでは選挙に無関心だった白人低所得層が熱狂したのですね。

トランプ氏は、低所得労働者が既成の権威に対して持っている不満を、自分への支持に転化することに長《た》けた人物でした。SNSに乱暴な投稿を繰り返し、人々の内に抱えた「怒り」をかき立てるトランプ氏の言動には、アメリカ社会だけでなく世界中が振り回されました。

トランプ氏が大統領に就任していた期間、アメリカは彼の掲げる「アメリカ・ファースト」主義に従って国際社会との重要な約束事から次々と離脱し、世界中を混乱させました。アメリカ国内でも「国際社会の信頼を失わせる行為」という批判があり、結果、トランプ氏は2020年の大統領選挙で民主党のバイデン氏に敗れることとなります。

しかし、世論調査によればバイデン氏とトランプ氏の支持率は拮抗《きっこう》していて、アメリカ社会においてトランプ氏の人気がいまだ高いのも事実です。

91件の罪で刑事起訴されたトランプ氏、大統領選挙への影響は？

２０２３年12月現在、トランプ氏はアメリカの司法当局から４つの事件、合計91件の罪で起訴され、裁判が予定されています。これだけ多数の疑惑を抱えている人物が大統領選挙の共和党指名争いで首位にあるというのは、アメリカの憲政史上前代未聞。仮に裁判でトランプ氏の有罪が確定すれば禁錮刑になる可能性もあり、裁判の行方は大統領選挙の大きな争点になりそうです。

ただ、トランプ氏を支持する「政治活動委員会」は、これらの起訴について、「政治的な捜査である」と批判しています。トランプ氏も自身の起訴について「私は無実である」「これは極左による魔女狩りだ」と主張しています。

実は、「機密文書の不適切な取り扱いについての疑惑」と「２０２０年の大統領選挙を覆そうとした疑惑」に関して、起訴を行ったのは民主党のバイデ

大統領経験者として初めて起訴された共和党のトランプ氏が抱えている4つの刑事裁判（2023年3月以降）

2023年3月	2016年の大統領選の選挙中に行った不倫相手への口止め料に関する記録不正の疑い
2023年6月	政府の機密文書を自宅に持ち出したうえ、その捜査を妨害しようとした疑い
2023年8月	2020年に行われた大統領選の結果を覆そうとし、2021年1月のアメリカ連邦議会占拠事件に関与した疑い
	2020年の大統領選で敗北したジョージア州の選挙結果を覆そうとした疑い

ン政権が指名したジャック・スミス連邦特別検察官でした。

また、東部ニューヨーク州における「不倫相手に口止め料を払ってもみ消しを図った疑惑」と「ジョージア州における選挙結果を覆そうとした疑惑」に関しては、民主党から立候補して選ばれた地区検事（検察官）が捜査を指揮していました。

このことをもって、トランプ氏は2023年に入り立て続けに行われた自身の起訴について、「バイデン政権による陰謀だ」としているのです。

なぜ検事に政党の色がついているの

でしょうか？　日本では通常考えられないことですよね。アメリカの司法制度では、「裁判も民主的に進めなくてはならない」という考えから有権者が選挙で検事を選び、有権者の中から抽選で選ばれた陪審員が罪の有無を判断するからです。

たとえば、３月にトランプ氏の起訴の手続きをしたのはニューヨーク州マンハッタン地区の検事ですが、起訴すべきだと決めたのは、一般市民から抽選で選ばれた陪審員たちが構成する大陪審という組織です。

日本では、検察官が容疑者を起訴するかどうかを決めます。検察官は、国家試験である司法試験に合格した後、一定の研修を受けて検察庁に入った人たちです。事件については、警察とは別に独自の捜査と起訴を行うことができます。

一方、アメリカの検察官は、国家試験ではなく各州の司法試験に合格した後、検察官を選ぶ選挙に立候補し、当選した人たちです。

つまり、日本の検察官とはちがって選挙で選ばれた人たちなのですね。起訴するかどうかを決めるのは有権者たち。「『人を起訴する』という重大な権限を持つ人間は、有権者から選ばれるべき」というのがアメリカという国の考え方なのです。

日本では検察官が独自に起訴をしますが、アメリカでは起訴するかどうかを事前に裁判官に判断してもらう方法と、陪審員に決めてもらう方法の2種類あります。1件目のトランプ氏の起訴は、有権者代表の陪審員が決めました。

アメリカの陪審員には、起訴を決める陪審員と裁判で評決を出す陪審員の2種類があります。どちらも有権者登録名簿や自動車免許の名簿などから抽選で選ばれます。

このうちの「起訴するかどうかを決める陪審員」は州によって人数が異なり、16人から23人以内です。これは人数が多いので「大陪審」と呼ばれます。

一方、裁判にかけられた被告が有罪か無罪かを決める陪審員の数は12人で、大陪審に対して「小陪審」と呼びます。

小陪審の陪審員たちは裁判所の法廷に座り、検察官、弁護士、証人、被告の言い分を聞いて、被告が有罪か無罪かを判断します。このとき、結論は全員一致でなければならず、意見がまとまらないときは時間をかけて議論をします。それでも意見がまとまらない場合は改めて陪審員を選び直し、最初から裁判をやり直します。

陪審員たちの意見がまとまれば、結論を発表します。これが「評決」です。仮に有罪という評決が出た場合は、裁判官が「懲役○年」などと判決を言い渡します。ただし、州によっては陪審員が判決まで言い渡すこともあります。

これに対し、大陪審の判断は多数決で決まります。最終的な結果は小陪審が決めることなので、大陪審は「有罪になる可能性が高い」というレベルで結論を出せばよいからです。

このような制度の下で起訴が決まったのですから、トランプ氏が裁かれるのは当然だと考えている国民も多いのです。

しかし、同時に、アメリカには熱狂的なトランプ支持者が大勢いて、彼らは「起訴はバイデン政権がトランプ再選を恐れているからだ」というトラン

トランプ支持者、米ホワイトハウス前に集結＝2021年1月6日（ロイター＝共同）

プ氏の主張を強く信じています。トランプ支持者たちは、「度重なる起訴こそが陰謀の証拠である」と考え、より結束を強めています。

そのため、4つの刑事事件で起訴されているにもかかわらず、今のところトランプ氏の政治的な影響力に大きなダメージがあった様子はありません。

共和党の幹部も「極左過激派であるならず者の司法長官が、またもや権威を政治利用した」とか、「トランプ前大統領はこのようなばかげた訴訟を打ち破り、再選を果たすだろう」とかといった発言をしています。

トランプ氏の支持者も、彼が起訴されるたびに支持をますます強くし、「トランプ離れ」を起こす様子はありません。

仮にトランプ前大統領が裁判で有罪になっても、アメリカの憲法によれば大統領選挙への立候補は可能です。きっとトランプ氏は出てくるでしょう。

アメリカの大統領選挙は、一つの国だけの話で終わりません。トランプ氏が当選すれば、アメリカはウクライナへの支援をやめ、戦争はロシアにとって有利な形で終わるかもしれません。在韓米軍、在日米軍のありよう、北大西洋条約機構（ＮＡＴＯ）との関係も変わり、世界情勢が大きく動く可能性があります。

大統領の地位にあってもそうでなくても、現在のアメリカの政治に大きな影響力を持ち、大きな混乱を引き起こしているのが、ドナルド・トランプという人物だといえます。

米大統領を直接選ぶ「選挙人」とはどういう人か

ところであなたは、アメリカの大統領選挙の仕組みをご存じでしょうか？実はこの選挙、少々回りくどいシステムで実施されています。

システムを理解すれば、これから報じられる大統領選挙のニュースもより理解しやすく見ることができますので、この機会に知っておきましょう。

日本の国民は18歳になると自動的に有権者となり、選挙の際は自治体の選挙管理委員会から投票所入場券が送られてきます。しかし、アメリカでは、選挙権年齢に達していても、事前に選挙管理委員会に有権者として登録した人しか投票できません。自ら積極的に「投票をする」という意思を示す必要があるので、選挙運動では熱狂的な応援をする支持者が多いのでしょう。

選挙では大統領と副大統領候補がセットになっていて、このコンビに投票します。大統領に不測の事態が起きれば、副大統領が大統領に昇格することになっているので、「副大統領も国民によって選ばれた」という形にしてあります。

大統領選挙は、50の州と首都ワシントンでそれぞれ独自に行われます。有権者は、自分が当選させたい候補を選んで投票しますが、実際に選ばれるのは大統領ではなく「大統領選挙人」と呼ばれる人たちです。大統領候補者はあらかじめ自分の支持者を選挙人団として届けてあり、その人たちがまとまって選ばれることになります。

毎回大変な盛り上がりを見せているので、いかにも国民が直接大統領を選んでいるように誤解していた人もいるかもしれませんが、実は「間接選挙」なのですね。

それぞれの州で選ばれる大統領選挙人の数は、人口に応じて決まっています。たとえば、人口の少ないアラスカ州や首都ワシントンなどは３人ですが、人口の多いカリフォルニア州には選挙人が54人もいます（30－31ページ参照）。

仮に2024年の大統領選挙がバイデン氏とトランプ氏の一騎打ちとなったとして、たとえばカリフォルニア州でどのような選挙が行われるかを見てみましょう。

カリフォルニア州の有権者は、バイデン候補かトランプ候補のどちらかに投票します。その結果、バイデン候補がトランプ候補よりも1票でも多ければ、カリフォルニア州の54人の選挙人は、全員、バイデン候補に投票する人が選ばれます。

これを「勝者総取り方式」といいます。厳密には、50州のうち2つの州（北東部のメーン州と中西部のネブラスカ州）だけ例外的に得票率で配分しますが、あとはみなこの方式です。

選挙人の数はアメリカ全体で538人。そこで過半数の270人を獲得した候補が大統領に当選します。

ここで選ばれた選挙人は12月に自分が支持する大統領候補者に投票を行い、年が明けた1月に開票が行われます。ただ、どちらの候補に投票するかすでに決まっている選挙人が選ばれているので、11月の時点で大統領の当選者が決まってしまうのです。

選ばれた選挙人が、投票時にそれまで支持していた候補の対抗馬に投票することも可能です。実際、過去にはそのようなことをした選挙人もいますが、大勢に影響したことはありません。

なぜ、アメリカの大統領選挙はこのように回りくどい選挙人制度を採用したのでしょうか。それは、大統領選挙が始まったばかりのころ（1789年）のアメリカは、移民が多かったこともあり、英語の識字率が極めて低かったからです。

当時、新聞はあったものの大統領候補者の考え方や掲げている政策について、有権者が知る機会がほとんどありませんでした。政治の知識が不足する一般国民には、よい大統領を適切に選べないと考えられたのですね。

そのため、読み書きをはじめ能力にすぐれた人を選び、一般国民に代わってその人たちに投票してもらうという方式が成立しました。

選挙人制度

有権者は投票で選挙人(538人)を選出
●100人は全米50州に2人ずつ割り当て
●435人は各州に人口比で配分
●3人は首都ワシントンに
⬇
過半数の270人を獲得すれば勝利

アメリカ大統領選挙2024の州別選挙人の割り当て

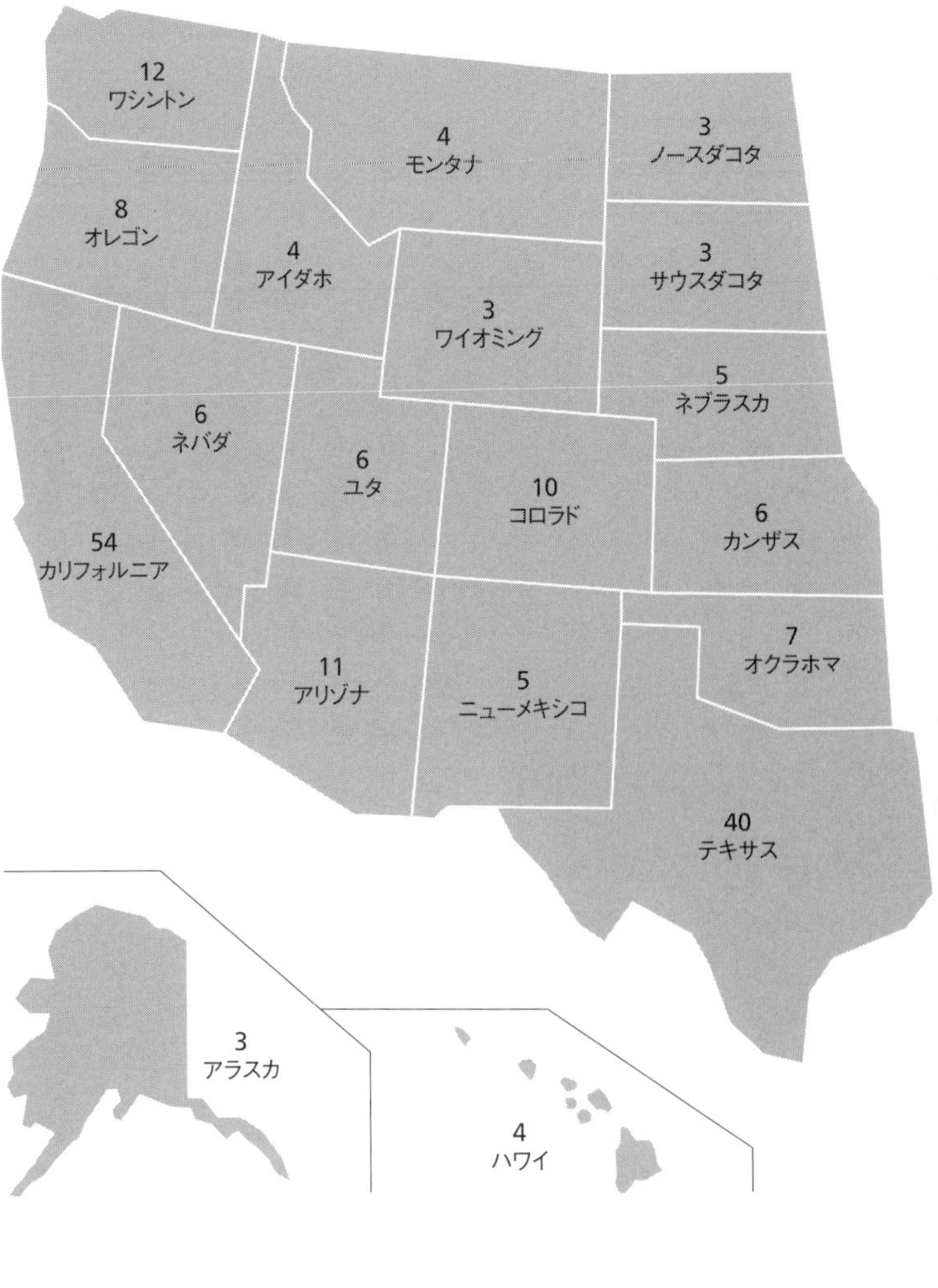

現在はアメリカも識字率が高くなったので、直接選挙でもよいのでしょう。しかし、この選挙制度は憲法で規定されているために修正が難しく、またアメリカ国民も大統領候補者が全国をめぐって選挙運動を展開する必要があるこの方式を支持しているため、伝統的な方式が維持されているわけです。

勝者総取り方式においては、最も得票数の多い大統領が必ず当選するとはかぎりません。実際、一般投票で最高得票を得られなかった候補者が当選した大統領選挙が、米国史上5回ありました。

２０００年の大統領選挙の一般投票では、民主党のアル・ゴア氏が共和党のジョージ・ブッシュ氏より約54万多く得票したものの、勝者総取り方式による選挙人団の確保で後れを取り敗北。２０１６年の大統領選挙の一般投票では、民主党のヒラリー・クリントン氏が共和党のトランプ氏より２８６万以上も多く得票しました。しかし、トランプ氏は勝利要件である選挙人団５３８人の過半数（２７０人）を上回る３０６人を確保し、クリントン氏（２３２人）に勝利したのです。つまり当時のアメリカ国民は、総体としてはクリントン氏を選んでいたのですね。

ちなみに、アメリカの選挙運動では大量のテレビコマーシャルが流されます。コマーシャルの中には、対抗する候補者を公然と批判したり非難したりするものも多くあります。

たとえば、ある候補を支持する人たちが委員会を結成し、資金を集めて敵候補を批判するコマーシャルを流すことなどは、アメリカではごく一般的です。批判された候補の支持者たちも対抗して委員会をつくり、相手候補を厳しく批判するコマーシャルを打ちます。

このような選挙運動には「あまりに行き過ぎた非難合戦になっている」という批判もあるのですが、今のところなくなる様子はありません。アメリカでは、言論の自由が何よりも重んじられるからでしょう。

結果として、激しい批判合戦の中で心身を鍛えあげた人が、大国アメリカの大統領としてやっていけるだけの強さを持っているとして、夏の党大会で正式な候補者に選ばれるのです。

中間選挙は「ねじれ」決着、現在の支持率は拮抗

アメリカでは4年ごとに行われる大統領選挙の間に、「中間選挙」と呼ばれる選挙が実施されます。日本の国会のようにアメリカの議会にも上院と下院の二つの区別があり、中間選挙では下院議員の全員と上院議員の3分の1を選び直します。

上院議員というのは、いわば「州の代表」です。50の州から2人ずつ選出され、定数は100。任期は6年で、2年ごとに3分の1が改選されます。

一方、下院議員は「国民の代表」です。国民の平等を目指し、州の人口比率によって議席が配分されています。定数は435で、任期は2年です。

ちなみに、日本の衆議院議員は465人で、総選挙は衆議院議員の任期満了（4年）によるものと、衆議院の解散によって行われるものの二つがありま

す。いっぽう参議院に解散はありませんので、参議院議員248人は任期6年で、3年ごとに半数が改選です。

2022年に行われた米中間選挙は、アメリカ国民がバイデン政権を評価するいわば「通信簿」のようなものです。

大半のメディアの事前予測は「上院議員選挙は接戦となり、下院議員選挙は共和党が圧勝する」というものでしたが、実際には、上院では民主党が勝利し、下院は共和党が多数派となりましたが民主党との差はわずかでした。

共和党が圧勝するという予測が生まれたのは、2022年時点でアメリカの物価高が深刻だったからです。

私はこの中間選挙の取材でアメリカ各地を回ったのですが、ニューヨーク州で食べた豚骨ラーメンとギョーザのセットが日本円で5400円もして仰天しました。豚骨ラーメンが16ドル、ギョーザが12ドル、ニューヨーク州の付加価値税が2ドル、そこにチップが20パーセント分加わって合計36ドルです。このとき1ドルは150円でしたから、5400円というわけです。

これは日本円が安いからでもあるのですが、取材で大勢の方に話を聞いてみたところ、多くのアメリカ国民がこの物価高には困っている様子でした。

こういうとき、現職大統領への不満は高まります。バイデン氏は民主党ですから、中間選挙では多くの有権者が「民主党ではなく共和党の候補者に投票しよう」という動きが出るだろうとメディアは予測したのですね。

しかし、この予測ほどには共和党は伸びませんでした。その理由の一つが、トランプ氏が投票日の前に共和党候補の応援演説のために、アメリカ中を飛び回ったからといわれています。

「もし共和党が大勝したら、トランプ氏が調子に乗るだろう」と考えた人が多かったようです。トランプ氏には熱烈な支持者がいますが、一方で強烈なアンチも多いのです。そんな彼の復活を心配した人々が、民主党候補に投票したという見方があります。民主党が勝ったというより、トランプ氏の共和党が負けたといえるでしょう。

とはいえ、下院では共和党が多数になり議会は「ねじれ」ましたから、バイデン氏が圧倒的に評価されたというわけでもありません。

２０２３年12月現在、アメリカの物価高はさらに進んでいます。コロナ禍で外食などのサービスの利用者が減り、自宅で調理するための食材の需要が増えたこと、早期退職者が増えて労働力が減ったこと、ロシアのウクライナ侵攻により資源エネルギー価格が高騰したことなどがその理由です。

人手不足から労働者の賃金も上昇しているので、物の値段だけでは判断はできませんが、生活が苦しくなっている人は以前よりも確実に増えています。

２０２３年10月に大統領選挙での再対決を想定して行われた世論調査では、回答した有権者の41パーセントがバイデン氏を、45パーセントがトランプ氏を支持するという結果になりました。４ポイントは誤差の範囲であり、実際の支持率は拮抗していると見られています。

アメリカ大統領選挙2024の主なスケジュール

2024年

1月15日	共和党	アイオワ州で党員集会が開始（共和党の最初の予備選挙）
1月23日	共和党	ニューハンプシャー州党員集会（予備選挙）
2月3日	民主党	サウスカロライナ州で党員集会が開始（民主党の最初の予備選挙）
2月8日	共和党	ネバダ州で党員集会
2月24日	共和党	サウスカロライナ州で予備選挙
3月5日	共和党・民主党	スーパーチューズデー
7月15日～18日	共和党	全国大会（大統領候補者が決定）
8月19日～22日	民主党	全国大会（大統領候補者が決定）
9月～10月	本選挙が本格化	
11月5日	本選挙の投開票日（538人の選挙人のうち、270人以上を獲得した大統領候補が勝利者となる）	

2025年

1月20日	大統領就任式（憲法修正第20条）

column

スーパーチューズデーとは？

4年に1度行われるアメリカ大統領選挙で、候補者選びのヤマ場とされるのが、「スーパーチューズデー（決戦の火曜日）」です。大統領選挙の年の2月または3月上旬の火曜日に、民主党と共和党の候補者指名のための予備選挙や党員集会が多くの州で集中的に行われることから、このように呼ばれています。

過去に全米24の州で予備選挙と党集会が一斉開催されたときには、「メガチューズデー」と呼ばれたこともありました。毎回、「スーパーチューズデー」で指名争いの大まかな流れが決まり、最終候補者が絞り込まれます。

前回2020年の大統領選挙では、3月3日がスーパーチューズデーとなり、テキサスやカリフォルニアなど14州で同時に民主党大統領選挙予備選が行われました。当初は4人の有力候補者がいましたが、早々にジョー・バイデン前副大統領（当時）と左派のバーニー・サンダース上院議員との一騎打ちの様相となりました。

最終的にバイデン氏が10州で勝利して民主党の大統領候補となり、現職だったトランプ大統領に挑戦。これを倒して、第46代アメリカ大統領となりました。

2024年の大統領選挙では3月5日がスーパーチューズデーとされています。

深刻化するアメリカ社会の分断

２０２０年の大統領選挙で勝利したバイデン大統領は、勝利宣言の中で「私は分断ではなく結束を目指す大統領になることを誓う」と述べました。

トランプ前大統領は、国民を「敵」と「味方」に分け、敵と認定した相手を徹底的にたたくという手法で自らの支持率を強化してきました。そんなトランプ施政下でより深刻度を増してしまったアメリカ社会の分断を受けての言葉です。

先にも述べたように、アメリカ議会はリベラル寄りの民主党と保守寄りの共和党という二大政党で成り立っています。かつては民主党も共和党も政治理念は今よりも中道寄りで、共通する考えも多くありました。しかし、近年はお互いの政治的理念が分極化し、まったく相いれない状態になっています。

そのため、アメリカ国民もリベラルな考えを持つ人はますます民主党を支持し、保守的な考えを持つ人は共和党で結束するということが起きています。

民主党支持者は、ＬＧＢＴＱなどのマイノリティーへの差別に反対しています。移民にも寛容な考えを持つ人も多くいます。

一方で、共和党支持者の多くは、トランプ旋風で支持に加わった白人の低所得労働者などを中心に、社会的マイノリティーに自分たちの立場が脅かされるのを懸念する人たちが大勢います。そういう人たちは移民を入国させないように求めます。

中東のイスラエルとハマスの争いでも、共和党支持者はイスラエル絶対支持でパレスチナの人たちに冷淡ですが、民主党支持者の中にはイスラエルを支持しながらもパレスチナの一般市民に犠牲が出ることには反対の人もいるのです。

コロナ禍でも、アメリカ国民の分断は顕著に表れました。

民主党支持者には専門家の科学的判断に従うべきだと考える人が多く、マスクの着用やワクチン接種に積極的でした。しかし、共和党支持者には「個人の自由」を重んじ、マスク着用やワクチン接種に反対する人が大勢いました。トランプ前大統領も、一時マスクを着用しないことで話題になりましたよね。マスクをつけていると、「ウイルスに立ち向かう勇気がない弱虫」というイメージを持たれることを危惧していたといわれています。

民主党が知事や市長をしている地域の多くでは条例で外出時のマスク着用が義務づけられましたが、共和党の知事や市長がいる地域では、「マスク着用義務化を認めない」という命令が出て、裁判にまで発展することもありました。

一般的に、社会の分極化が深刻化するにつれて国の力は衰退します。国民の力を結集することができなくなるからです。近年、「現在のアメリカ社会の分断は、南北戦争時に匹敵する」ということがしばしば言われるようになりました。

さすがに現代のアメリカにおいて内戦が起きることはないでしょうが、2021年の連邦議会占拠事件のように、政治的議論を非民主的な手法で解決

トランプ支持者がアメリカ合衆国議会議事堂を襲撃＝2021年1月6日（Michael Nigro／Pacific Press via ZUMA Press Wire／共同通信イメージズ）

しようという動きはすでに起きています。

超大国であるアメリカの政治が機能不全に陥り国力が弱まるようなことがあれば、中国やロシアなどの権威主義国家が勢いづくことは必至です。具体的にはウクライナと台湾について、ロシアと中国は大きく動くかもしれません。

これは日本の安全保障にとっても非常に大きな影響を及ぼすことです。私たちは今後のアメリカの政治の動向、特に２０２４年の大統領選挙をこれまで以上に注視する必要があるでしょう。

アメリカの銃規制、なぜ強化が進まないのか

社会の乱れを反映してか、２０２３年に入ってからのアメリカは直近10年で最速のペースで重犯罪事件が発生しています。２０２３年10月25日、アメリカ北東部のメーン州で、ボウリング場など複数の場所で一人の男が銃を乱射し、18人が死亡、13人が負傷するという痛ましい事件が起きました。

銃の被害について統計をまとめているアメリカのＮＰＯ法人「ガン・バイオレンス・アーカイブ」によれば、２０２３年、４人以上が死亡した銃乱射事件は、この事件まで含めて33件にも上るとされています。

アメリカで銃乱射事件が頻発するのは、多くの人が銃を持っているからです。日本人の感覚ではなかなか理解できませんが、アメリカは憲法で「銃を持つ権利」が認められているため、多くの人が銃を持っているのですね。

かつてイギリスの植民地だったアメリカは、独立戦争を経て国家として独立を果たしました。独立戦争時に、アメリカにきちんとした軍隊はありません。普段は農業に従事している人などが、銃を手にしてイギリス軍と戦ったのです。

そのため、現在の多くのアメリカ国民は銃を持つことを「独立の象徴」として捉えています。憲法にも「人民が武器を保有しまた携帯する権利は、これを侵してはならない」と記されています。

アメリカには50の州がありますが、州の権限は非常に大きくそれぞれが独自に法律をつくることができるので、中には銃を規制している州もあります。しかし、国家レベルで銃を根本的に規制する法案はありません。

日本に住むわれわれには理解できないかもしれませんが、アメリカでは歴史的に、銃を規制しようとする動きが起きると、「憲法で認められた権利を制限するのか」という批判が出て議論が進まなくなるのです。

ただ、過去にはアメリカにも国家レベルの銃規制がありました。

１９９４年、銃規制に熱心だった民主党のビル・クリントン大統領の時代

米ホワイトハウスでブレイディ元大統領報道官（左）に見守られ、ブレイディ法に署名するクリントン大統領（当時）＝1993年11月30日（ロイター＝共同）

に発効した「ブレイディ法」です。これは１９８１年のレーガン大統領暗殺未遂事件の際、頭部に銃弾を受けて障害を負い、その後、銃規制運動に取り組んだジェームズ・ブレイディ報道官（当時）にちなんで名づけられました。

この法律は、すべての短銃の購入に際し、５日間の保留期間を設け、この間に購入希望者の犯罪歴や精神障害歴を調査することを義務づけています。

またこのとき、一度に大量の銃弾を発射する殺傷力の高い銃（アサルト・ウエポン）の販売を規制する「攻撃用銃器禁止法」も成立しました。

しかし、どちらも特定期間だけ有効な時限立法であったため、ブレイディ法は1998年に失効、攻撃用銃器禁止法も2004年に失効しています。アメリカ議会に銃規制に反対する議員が多く、期限が切れた後、これらの法律の延長は行われませんでした。

規制に反対する議員が多いのには、全米ライフル協会（NRA）の存在が大きく影響しています。NRAは銃の愛好者団体ですが、銃メーカーや販売店などから資金援助を受けており、政府や社会に影響を与える利益団体でもあります。

これまで、NRAは豊富な資金を使って銃を規制しようとする議員の落選運動を繰り広げてきました。NRAを敵に回して落選することをおびえる議員は多く、銃規制に積極的に乗り出せないのですね。

2022年6月、相次ぐ銃乱射事件を受けたバイデン大統領は、連邦議会が超党派で可決した銃規制強化の法案に署名して成立させました。しかし、この新法案は21歳未満の銃購入希望者に対する身元確認の強化や、精神医療

米ホワイトハウスのルーズベルト・ルームで超党派の銃規制強化の法案に署名するバイデン大統領＝2022年6月25日（Pool／ABACA／共同通信イメージズ）

や学校警備の強化策などにとどまり、根本的な銃規制にはほど遠いものでした。

バイデン大統領は、「アメリカは戦争の道具であふれ返っている」と訴え、引き続き殺傷力の高い攻撃用銃器を禁止するように呼びかけています。

このようにアメリカ議会でも銃の規制を進める議論は行われてはいますが、銃規制強化の動きは伝統的に共和党が阻止しがちで、大幅な規制をする法律が成立したことはありません。

小学校で何十名もの児童が射殺されるという痛ましい事件が起きたのに、

大幅な規制強化は行われませんでした。このときＮＲＡは、「全米すべての学校に武装した警察官を配置して再発を防げばよい」と主張しました。銃を減らすのではなく、さらに増やせという提案です。

現在、多くのアメリカ国民は銃規制の取り組みを支持してはいます。しかし、銃所持を支持する住民の多い選挙区からは多数の共和党員が選出されており、彼らは銃規制に反対しています。共和党が民主党と並ぶ政党である以上、アメリカでの本格的な銃規制は難しいでしょう。

第2章

長期化する
ロシアのウクライナ侵攻

ロシア・ウクライナ両軍、すでに50万人が死傷している

２０２２年２月24日に始まったロシアによるウクライナへの軍事侵攻から、早くも２年がたとうとしています。この戦争は膨大な数の死傷者と避難民を生み出し、世界中に経済危機の種をまきながらいまだ進行中です。現在のところ停戦の見通しは全くたっていません。

２０２３年８月18日付の米ニューヨーク・タイムズ紙は、複数のアメリカ政府当局者からの情報に基づく推計として、戦争開始以降のロシア軍とウクライナ軍双方の死傷者の合計がおよそ50万人に上っていると報じています。

内訳は、ロシア側が死者12万人・負傷者17万～18万人、ウクライナ側が死者７万人・負傷者10万～12万人。ロシア軍の兵士はおよそ１３３万人、ウクライナ軍の兵士はおよそ50万人なので、特にウクライナ軍の損耗が激しいと

いえます。

ここまでは、あくまで兵士にかぎった推計です。ウクライナでは民間人にも大変な犠牲が出ています。国連人権高等弁務官事務所（ＯＨＣＨＲ）は、侵攻が始まった２０２２年２月24日から２０２３年６月末までに、ウクライナにおける民間人の死者は９１７７人、負傷者は１万５９９３人に上るとしています。ただ、戦闘が激しい地域は実情の把握が困難ですから、実際の死傷者数ははるかに多いと考えられます。

２０２３年６月以降、ウクライナ軍は東部で大規模な反転攻勢をかけ、激しい戦闘を続けていますから、現在、双方の死傷者はこのときの数字からさらに大幅に増加しています。

ロシアのウラジーミル・プーチン大統領は当初、この戦争は短期間で決着すると思っていたはずです。首都キーウ（キエフ）を電撃的に制圧して、ウクライナのウォロディミル・ゼレンスキー大統領を殺害するか逃亡させれば、ウクライナは簡単に降伏し、ウクライナ国民はロシアを歓迎すると思ってい

ウクライナ情勢（2023年10月22日時点）

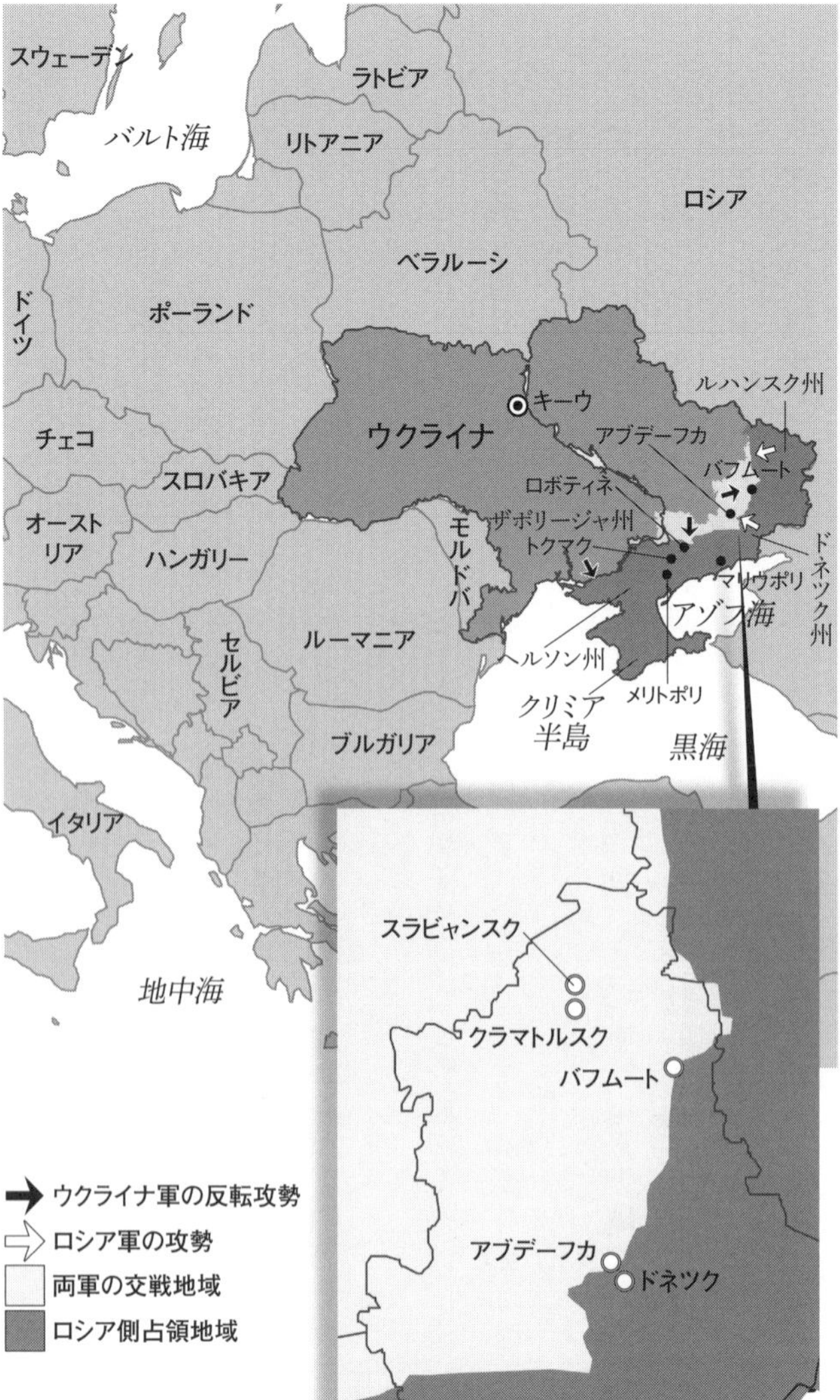
スウェーデン
ラトビア
バルト海
リトアニア
ロシア
ベラルーシ
ドイツ
ポーランド
ルハンスク州
キーウ
チェコ
ウクライナ
アブデーフカ
バフムート
スロバキア
ロボティネ
オーストリア
モルドバ
ザポリージャ州
トクマク
ドネツク州
ハンガリー
マリウポリ
アゾフ海
ルーマニア
ヘルソン州
セルビア
メリトポリ
クリミア半島
ブルガリア
黒海
イタリア
地中海
スラビャンスク
クラマトルスク
バフムート
アブデーフカ
ドネツク
ウクライナ軍の反転攻勢
ロシア軍の攻勢
両軍の交戦地域
ロシア側占領地域

右●テレビ演説をするロシアのプーチン大統領。ウクライナ東部ドンバス地域で「特別軍事作戦」を実行すると発表＝2022年2月24日（新華社／共同通信イメージズ）
左●ロシアによる攻撃を受けて首都キーウで演説するウクライナのゼレンスキー大統領＝2022年2月25日（ABACA／共同通信イメージズ）

たふしがあります。ウクライナに攻め込んだ初期のロシア軍が数日分の補給しか持っていかなかったことからも、それがうかがえます。

ところが、実際はそのようなことは起きませんでした。ゼレンスキー大統領は逃げずに首都キーウにとどまり、ウクライナ軍も侵攻してきたロシア軍に激しく抵抗しました。ウクライナ軍の士気は非常に高く、一般のウクライナ国民も団結して軍を支えています。

ただ、ロシアはウクライナよりも人口が多く経済力も強い国です。軍の物量ではロシアはウクライナにはるかに勝ります。

また、かつての大戦でもそうだったように、ロシアという国は欧米とは考え方が異なり、軍事作戦における人的な犠牲を気にしません。どれだけの死傷者を出そうが民間人が犠牲になろうが、一切を気にせず延々と兵力のすりつぶし合いができる国です。そのため戦争が長引けば長引くほど、ウクライナは不利になっていくでしょう。

なぜロシアはウクライナに侵攻したのか

そもそも、なぜロシアは突如ウクライナに侵攻したのでしょうか？　２０２１年の時点でロシアはウクライナとの国境付近に十数万人規模の軍隊を集めていたので、「突如」というのはやや語弊がありますが、多くの専門家も「まさか実際にロシア軍が国境を越えて侵攻することはないだろう」と考えていました。東西冷戦の時代ならいざしらず、社会がグローバル化した現代においてこの規模の軍事侵攻はあまりに非合理的だったからです。

ロシアのウクライナ侵攻の理由を考えるにあたっては、合理を超えた感情を考えなければなりません。具体的にはプーチン大統領の感情です。そのために、ロシアとウクライナの歴史を見ていきましょう。

８世紀ごろ、現在のウクライナの首都キーウのあたりにルーシという国がありました。これが、現在の「ロシア」という国名のルーツになったといわれています。12世紀ごろ、ルーシは諸公国に分かれ、やがてロシアは東に広い領土を持つようになりましたが、多くのロシア人は今も「ロシアもウクライナも元々は同じ国だった」という思いを持っているようです。

青空と小麦畑をイメージした青黄2色の国旗が示すように、ウクライナは人々が主食とする小麦が大量に採れる肥沃な土地を抱えています。そのため古来、周辺の国々はこの地を欲し、この地域はたびたび侵攻されました。17世紀には、国の東半分をロシアに、西半分をポーランドに占領されました。結果、東側にはロシア語を話し、ロシア正教を信仰するロシア人が住み着きました。

一方、西側に住む人々は、ウクライナ語を話しました。宗教は、ウクライナ正教とカトリックが多くを占めました。ロシア語もウクライナ語も文字はキリル文字というものを使いますが、言葉としては微妙に異なっています。

その後、18世紀初めから続いていたロシア帝国は1917年に革命が起きてソ連に変わり、ウクライナも併合されてしまいます。

つまり、今でこそ別の国として成立しているロシアとウクライナですが、１９９１年にウクライナが独立を果たすまで、両国はソビエト社会主義共和国連邦（ソ連）という一つの国の一部だったのです。

ソ連はその国名どおりに「連邦」という形をとっていました。これは、ロシアやウクライナなど15の共和国が一緒になって連邦国家を形成するというものです。

ただ、建前としてはそれぞれが共和国なのですが、実際は、いずれもソ連共産党の支配を受け、自由はありませんでした。

占領によってソ連に組み込まれたウクライナでは、特に西部の人々が「独立したい」という願いを持っていました。その願いは、１９９１年、政治的にも経済的にも行き詰まったソ連が崩壊することでかないます。ソ連崩壊によってロシアとウクライナは別々の国となり、それぞれ独立を果たしたのです。

ウクライナが独立を果たすと、「自分たちは西ヨーロッパの一員だ」と考える人々はヨーロッパ連合（ＥＵ）や北大西洋条約機構（ＮＡＴＯ）などのグループに入ろうとしました。

ウクライナのこうした動きを、ロシアを統治するプーチン大統領は「裏切り」と捉えます。

プーチン氏としては、特にＮＡＴＯが問題でした。ＮＡＴＯは東西冷戦が激化した１９４９年に、ソ連の強大な軍事力に対抗するため、国土の小さな西ヨーロッパ諸国とイギリスや北大西洋の先にあるアメリカが12カ国で結成した世界最大の軍事同盟です（２０２３年12月現在は31カ国が加盟しています）。

ＮＡＴＯと対峙《たいじ》していたのはソ連を盟主として東ヨーロッパ諸国によって結成されたワルシャワ条約機構（ＷＴＯ）ですが、１９９１年には正式解散し、その年にソ連は崩壊しました。

プーチン氏は、仮にウクライナが軍事同盟であるＮＡＴＯに加入すれば、アメリカをはじめとするＮＡＴＯ加盟国の軍隊がウクライナに駐留し、ロシアの安全が脅かされると考えました。

ロシアがウクライナに侵攻。早朝、首都キーウで起きた爆撃の様子＝2022年2月24日（Â©ROPI via ZUMA Press／共同通信イメージズ）

現に、ＷＴＯはすでになく、ＮＡＴＯはどんどん東に勢力を広げてきました。プーチン氏は大変な危機意識を持っていたと思われます。

そこで、ウクライナのＮＡＴＯ加盟を何としても阻止し、またロシア系の住人が多いウクライナの東側をロシアの領土とするべく、２０２２年２月、ついに軍隊を動かして国境を越え、ウクライナに侵攻したのです。

column

北大西洋条約機構（NATO）とワルシャワ条約機構（WTO）とは？

北大西洋条約機構（NATO：North Atlantic Treaty Organization）は、1949年に旧ソビエト連邦に対抗するための軍事同盟として、アメリカを中心にカナダとヨーロッパ諸国による12カ国で結成しました。本部はベルギーのブリュッセルに置き、加盟国への武力攻撃をすべての加盟国に対する攻撃とみなし、兵力使用を含む反撃をする集団的自衛権を規定しています。

1999年にはチェコ、ハンガリー、ポーランドといった東欧諸国が、2004年には旧ソビエト連邦のバルト三国を含む7カ国がNATOに加盟しました。

直近には、それまで長く中立を国の基本的な外交防衛方針としていたフィンランドが、ロシアのウクライナ侵攻をきっかけに2023年4月、31番目の加盟国となりました。

ワルシャワ条約機構（WTO：Warsaw Treaty Organization）は、1955年に旧ソビエト連邦を中心とする東欧の社会主義諸国で結成された軍事同盟です。ポーランドの首都ワルシャワで締結された友好・協力・相互援助条約（ワルシャワ条約）に基づいて結成されたことから、このように呼ばれています。本部はモスクワにありました。

NATO結成や西ドイツの再軍備に対抗するものでしたが、冷戦終結後、東欧の民主化や東西ドイツの統一とともに、1991年に解体されました。

戦争終結のために国連は何ができるのか

ロシアのウクライナへの軍事侵攻に対して、「国連は何をしているのか」という声をしばしば聞きます。国際連合（国連）は、第二次世界大戦後の1945年10月、国際平和と安全の維持や国際協力の実現を目的として発足した組織です。戦争が起きたとき、被害を受けた国が国連に訴えれば、安全保障理事会（安保理）が緊急会合を開き、「戦争をやめよ」と決議できます。

安保理は、常任理事国5カ国と、任期2年の非常任理事国10カ国の、合計15カ国で構成されています。

決議を採択するためには、15カ国のうち9カ国以上の賛成が必要です。ただし、たとえ9カ国以上の賛成があっても、常任理事国のうちの1カ国でも反対すれば、決議は採択されません。これが常任理事国が持つ「拒否権」です。

米ニューヨークで行われた国連安全保障理事会の会合に臨むウクライナのゼレンスキー大統領（手前右）。同左は岸田文雄首相＝2023年9月20日（代表撮影・共同）

ロシアのウクライナ侵攻においても、当然、安保理が開かれ、「ロシアは戦争をやめよ」という決議案が出ました。しかし、常任理事国のロシアが反対したために、この決議案は採択されませんでした。

第二次世界大戦では、日本、ドイツ、イタリアなどの「枢軸国《すうじくこく》」に対し、アメリカ、イギリス、フランス、ソ連（現ロシア）、中華民国の5カ国が「連合国」として戦いました。

国連は、この5つの連合国が中心となって戦後に結成した組織であるため、常任理事国に拒否権のような特別な権限があるのです。その後、中華民国に代わって中華人民共和国が常任理事国になっています。

常任理事国は、自身に不利な決議案が提出されると、拒否権を使います。したがって、常任理事国に利害関係が及ぶ国際紛争については、国連では解決できないことがあります。そのため、後にオランダのハーグに「国際司法裁判所（ＩＣＪ）」と「国際刑事裁判所（ＩＣＣ）」という二つの国際的な裁判所が設立されました。

国際司法裁判所の役割は、国と国との争いを国際法に基づき審理し、平和的に解決することです。

ウクライナの提訴を受けた国際司法裁判所は、２０２２年3月16日、ロシアに対し軍事行動を直ちに中止するように命じました。しかし、ロシアは裁判所に出てこず、判決を無視しました。

国際司法裁判所の決定は拘束力を持ちますが、それを行使する直接的な手段がないため、この判決は今も無視され続けています。

オランダのハーグにある国際刑事裁判所（ICC）＝（Vincent Isore／IP3 via ZUMA Press／共同通信イメージズ）

一方、国際刑事裁判所では個人の戦争犯罪を裁きます。刑事事件はそれぞれの国で裁かれるべきものですが、国にその能力がなかったり、そもそも裁く気がなかったりすると、国際刑事裁判所が取り組みます。

国際刑事裁判所は、プーチン大統領を戦争犯罪で裁けるのか

2023年3月17日、国際刑事裁判所（ICC）は、ロシアのプーチン大統領に対しウクライナでの戦争犯罪の責任を問う逮捕状を発行しました。ロシアが戦争犯罪人を裁く気がなかったためで、日本など約40カ国が国際刑事裁判所に審理を求めていました。

ロシアはウクライナに軍事侵攻し、占領したウクライナの子どもたち少なくとも1万6000人をロシア国内に連れ去ったとされています。親がロシア軍に殺されて孤児となった子どもには、ロシア国籍を与えてロシア人の養子にしました。また、親がウクライナにいる子どもに対しても「ロシアでキャンプに参加しよう」と言って連れ去り、ロシアで愛国教育を施しているとされています。

ウクライナの首都キーウ近郊でロシアによる住宅攻撃の現場を視察した国際刑事裁判所のカリム・カーン主任検察官（右）＝2023年2月28日（ロイター＝共同）

こうした事実は、ウクライナだけの主張ではなく、国連の国際調査委員会も2023年3月16日に同様の報告書を発表しています。

国際刑事裁判所は、「これはプーチン大統領の命令によって行われていることであり、プーチン大統領に責任がある」としています。同時に、ロシアでの子どもの権利を担当するマリヤ・リボワベロワ大統領全権代表にも責任があるとして、この2人に逮捕状を出しています。

子どもの連れ去りのほかにも、ロシアには民間人のジェノサイド（集団殺害犯罪）やインフラ施設の破壊など、複数の戦争犯罪の容疑がかけられ、国際刑事裁判所は現地調査を行っています。

２０２３年6月6日、ウクライナ軍は南部ヘルソン州にある水力発電所のダムが破壊されたと発表しました。ダムの貯水池にためられた水の量は18立方キロメートルで、これは琵琶湖の水量のおよそ3分の2に相当します。ダムが決壊したことにより、ドニプロ川の流域では東京23区の面積に匹敵する６００平方キロメートルで大規模な洪水が発生し、多くの死者と行方不明者が出ました。

ダムの破壊に関して、アメリカの軍事衛星はダムのあたりで爆発の閃光《せんこう》を捉えており、ノルウェーの地震計は爆発による振動波を記録しています。

ダムが破壊されたことについて、ウクライナもロシアも「敵方がやった」と主張しています。しかし、事実としてこのダムは２０２２年からロシア軍により占領されています。

この水力発電所のダムは並のミサイル攻撃程度では決壊しないとされてい

ます。したがって、何者かがダムの内側に大量の爆薬を仕掛け、爆破した可能性が考えられます。ロシア軍占領下のダムでそんなことができるのはどちらの国かを考えれば、爆破した国は自《おの》ずと明らかです。

戦争において、ダムの破壊は「戦争犯罪」とされています。戦争にも国際的なルールがあり、「たとえ戦争中でもやってはいけないこと」というのが定められているのですね。

たとえば、軍事力の一部とはみなせない民間人、病院・宗教施設・文化施設・民家などへの攻撃、インフラ施設や原子力発電所などへの攻撃、捕虜の殺害、無差別的で苦痛を与える武器や兵器の使用は禁止されています。

ルールがつくられたのは、過去の数々の戦争でこのような悲惨な出来事が起きた反省からです。

第二次世界大戦後の1949年、戦争中にやってはいけないことがスイスのジュネーブで「ジュネーブ諸条約」としてまとめられ、さらに1977年には「追加議定書」がまとめられました。そこで禁止されている非人道的な行為が「戦争犯罪」として定義されました。この条約には、日本はもちろん、ロシアもウクライナも参加しています。

以下は追加議定書の条文の一部です。

「第51条の2　文民たる住民それ自体及び個々の文民は、攻撃の対象としてはならない。文民たる住民の間に恐怖を広めることを主たる目的とする暴力行為又は暴力による威嚇は、禁止する」（文民とは戦闘に参加していない住人のことです）

「第56条の1　危険な力を内蔵する工作物及び施設、すなわち、ダム、堤防及び原子力発電所は、これらの物が軍事目標である場合であっても、これらを攻撃することが危険な力の放出を引き起こし、その結果文民たる住民の間に重大な損失をもたらすときは、攻撃の対象としてはならない（以下略）」

国際刑事裁判所で逮捕状が出たのなら、プーチン大統領を逮捕し、この戦争を止められるのでしょうか？　結論から述べれば、それは難しいでしょう。

ロシアは国際刑事裁判所に関する条約に加盟していません。そのため、プーチン氏がロシア国内にいるかぎり、容疑者として拘束したり裁判所に移送したりすることはできないのです。

国際刑事裁判所の設立を決めた国際条約には、日本を含め１２３の国と地域が参加しています。もしプーチン氏がこれらの国を訪問した場合、これらの国はプーチン氏を逮捕してハーグの裁判所に送る義務があります。したがって、仮にプーチン氏が日本に来れば、日本はプーチン氏を逮捕することになります。

しかし、条約に加盟していない国では、プーチン氏が逮捕されることはありません。また、ロシアも中国も、さらにアメリカも、この条約には加盟していません。仮に加盟すると、戦争の際に自国兵士が戦争犯罪人として裁かれる可能性があるからです。

プーチン大統領に逮捕状が出たことをアメリカのバイデン大統領は評価し

ましたが、そのアメリカは条約に加盟していないのですから、今後、「アメリカも条約に加盟すべきではないか」という議論も起きるでしょう。

ロシア当局は、２０２３年５月に国際刑事裁判所の英国人のカリム・カーン主任検察官らを、７月には逮捕状を出す決定に関わったとして日本人の赤根智子判事を、９月にはピオトル・ホフマンスキ所長ら３名を、ロシアの刑法に違反したという理由で指名手配しました。これらのロシアの動きは、国際刑事裁判所がプーチン氏らに逮捕状を出したことに対する報復の一環です。

経済制裁で戦争をやめさせることはできるのか

国連の中で強い力を持つロシアを、国連の力で止めることはできません。国際司法裁判所（ＩＣＪ）や国際刑事裁判所（ＩＣＣ）の判決も、直接的にプーチン大統領らを止めることはできません。アメリカやヨーロッパ諸国が武力で押さえつけることもできません。そんなことをすれば、戦争はより大きなものになってしまいます。

したがって、世界の国々は、武力攻撃の代わりに経済制裁という手段でロシアを止めようとしています。

具体的には、ロシアの広大な領土から豊富に生産される石油や天然ガスなどの資源の輸入停止、半導体など先端技術のロシアへの輸出停止、ロシアの個人・企業・銀行の資産凍結や、ロシアの銀行の国際決済網からの排除などが行われています。

これによって、ロシアの物質・戦費調達を困難にして、ロシアを経済的に困った状態に追い込み、戦争継続を難しくさせようというのです。

ただ、経済制裁はロシアに甚大な経済的被害を与える一方で、経済制裁に参加する国にも、大きな影響を及ぼします。実際、電気代が値上がりしたり食料不足に陥ったりする国も出てきています。

ロシア産のエネルギー資源を購入するのをやめたところで、結局は、代わりに中東からそれらを買わなくてはなりません。中東の石油や天然ガスを欲しがる国が増えれば、それだけ石油や天然ガスの値段も上がります。

火力発電では石油や天然ガスを燃料にしていますから、火力発電を使っている国では電気代が値上がりしています。

ロシアもウクライナ同様に小麦が多く採れる国ですから、以前は世界中にロシア産の小麦が輸出されていました。ウクライナとロシアの2カ国で、世界に輸出される小麦の約3割をまかなっていましたから、ロシア産の小麦を買わないとなると、その分をほかの国から買うしかありません。したがって、世界中で小麦の値段も上がっています。とりわけ小麦のほとんどを輸入に頼っているアフリカ北部では、パンの代金が高騰したことで大勢の人が困っています。

さらに、ウクライナはトウモロコシも大量に輸出していた国です。しかし、戦争によってトウモロコシを輸出するような余裕はなくなりました。トウモロコシはウシやブタなどの家畜の餌として使われますから、今後は家畜の餌代が世界的に高騰し、牛肉や豚肉の値段も上がるでしょう。

食料不足は野菜や果物の栽培に欠かせない肥料の面からも深刻になりそうです。肥料の三要素は、窒素、リン酸、カリウム。ロシアはカリウムの産地でもあります。ロシアからカリウムを買っていた国は、これが手に入らなくなれば農作物の成長に大きな影響が出ます。

経済制裁に部分的に参加している日本も、かねてからの円安も相まって、すでにさまざまな物やサービスの値段が上がっています。あなたも日々の生活の中で実感しているでしょう。

ロシアへの経済制裁は、他国にも甚大な影響を及ぼします。市民が怒ってデモをしたり集会を開いたり、すでに国内が不安定になっている国もあります。

この経済制裁はロシアとプーチン大統領にウクライナへの軍事侵攻をやめさせるのが目的ですが、効果が出るには時間がかかります。その間、多くの国で電気代もガス代も、食料の代金も値上がりしてしまいます。

しかし、国際社会は、これを「戦争をやめさせるためのコスト」と考えて、我慢するしかありません。主要国がどれだけ足並みをそろえて、我慢し続けられるかにかかっているでしょう。

経済制裁の影響を最も受けているはずのロシアですが、プーチン氏は自国民が多少貧しくなろうともこの戦争をやめる気はなさそうです。大統領をやめさせることができるのはその国の国民ですから、この戦争をどうするかは最終的にはロシア国民によって決まるでしょう。

戦争を終わらせるのはなぜ難しいのか

人類の歴史を見てもわかるように、戦争というものは、始めるのは簡単でも終わらせるのは非常に困難です。

たとえば、1950年に開戦した朝鮮戦争では、当初、北朝鮮軍がソウルを電撃的に占領して短期間で決着がつくと考えられていましたが、アメリカを中心とする国連軍が韓国を支援したことで泥沼化し、現在まで終結していません。1953年に休戦協定が締結されてから2023年7月で70年になりましたが、現在もその状態が継続していて、終わってはいないのです。

1979年の旧ソ連のアフガニスタン侵攻もそうでした。ソ連は当時の親ソ連派政権を支援するために軍をアフガニスタンに侵攻させましたが、イスラム原理主義勢力の激しい抵抗にあいました。さらに、アメリカがイスラム勢力を軍事的に支援した結果、戦闘は延々と10年に及んだ末にソ連軍は撤退に追い込まれました。この戦争によってソ連の国力は低下し、体制崩壊のきっかけにもなりました。

同じように、ロシアとウクライナの戦争も、そう簡単には終わらないでしょう。ロシア軍とウクライナ軍の双方に甚大な被害が出ていますが、大国ロシアの戦争継続能力はまだ損なわれていません。主要産油国の一つであるロシアが戦争の当事者であることで原油価格は高騰し、西側諸国による経済制裁の効力を弱めています。

プーチン大統領の統治力にもひびが入っている様子はありません。当初、ロシアでは若者を中心にして約100万人が徴兵を免れるために国外へ逃れたともいわれていますが、結局、逃げた先で生活を続けられず、帰国した人も少なくないようです。

さらにロシアは、国際社会に対して核兵器を脅しに使っています。2020年、ロシアは「核ドクトリン」を公開し、核兵器の具体的な使用条件を明らかにしました。それによれば、ロシアが侵略され国家の存立が危機的になったときは、それが通常兵器の攻撃によるものだったとしても、核兵器を使用するというのです。

核ドクトリンを国際社会に向けて公表することで、NATO加盟国をはじめとするウクライナの支援国を牽制《けんせい》しているのですね。そのため、ウクライナに供与される武器にロシア本土を攻撃できる長射程のミサイルは含まれていません。戦闘機の供与を決めるのにも時間がかかりました。

結局、この戦争の落としどころは見えていません。今、停戦すると、どちらも戦争に負けたことになるからですね。ウクライナは国土の約18パーセントを奪われた状態ですし（2023年6月末時点）、ロシアは自国領と宣言した東・南部の4州（ルハンスク州、ドネツク州、ヘルソン州、ザポリージャ州）を制圧できておらず、国土を守れなかったことになります。両国とも引くに引けないのです。

それでもこの戦争が終わるとすれば、戦闘が3年、4年と続いた末に、国力で劣るウクライナが兵士や武器の枯渇で力尽きるときでしょう。

ロシアよりも損耗は少ないとしても、戦場では兵士が死に続けていますので、やがて補充しきれなくなります。戦場に行けば高い確率で死ぬわけですから、「死にたくない」と思う人々の兵役逃れも起きているといいます。

砲弾もすでに不足し始めています。今はアメリカなどが支援していますが、ここまで武器を供与してきたＮＡＴＯ諸国、特にハンガリーやポーランドの支援疲れも見え始めています。

戦争が引き起こす世界的な燃料価格の高騰に国民が耐えられなくなる国も出てきています。そういう国は支援を減らしてしまうかもしれません。

つまり、ウクライナが「弓折れ矢尽きる」という状態になったとき、この戦争は終わるのかもしれません。

ただ、一方のロシアも、この戦争に勝ったところで大きなものを失います。

２０２２年５月、ロシアのウクライナ侵攻に危機感を強くしたフィンランドとスウェーデンはＮＡＴＯへの加盟を申請しました。プーチン大統領がＮ

ロシアのプーチン大統領（中央左）と北朝鮮の金正恩朝鮮労働党総書記（中央右）は、極東アムール地方のボストーチヌイ宇宙基地を視察した＝2023年9月13日（Sputnik／共同通信イメージズ）

ATO勢力をこれ以上拡大させまいとして始めた戦争でしたが、皮肉にもNATO勢力の拡大を招いてしまったわけですね。

今後、戦争が長引けば長引くほど、ロシアの東欧での影響力は薄れ、国際的な存在感もなくなっていくでしょう。

２０２３年９月に北朝鮮の金正恩《キムジョンウン》総書記がロシアを訪問した際、ロシア側は金総書記を終始手厚くもてなしました。これは国際社会で居場所を急速に失いつつあるロシアの焦りや孤立感の表れといえます。

２０２３年10月17日から始まった中

中国・北京の人民大会堂で行われた第3回一帯一路国際協力フォーラムの歓迎式典で、中国の習近平国家主席（右）の話に耳を傾けるロシアのプーチン大統領＝2023年10月17日（Sputnik／共同通信イメージズ）

国の巨大経済圏構想「一帯一路」の国際会議に出席するため北京を訪れたプーチン大統領は、習近平《しゅうきんぺい》国家主席と会談しました。両者は2国間の関係をはじめ、ウクライナ情勢やイスラエル・パレスチナ情勢について議論。会談後、プーチン大統領は「共通の外的な脅威は、ロシアと中国の交流を強めることになる」と述べて両国の蜜月ぶりをアピールし、アメリカを牽制しました。今のロシアは、北朝鮮や中国に頼らざるを得なくなっているのです。

第3章

世界覇権を狙う中国、そして台湾・韓国・北朝鮮

中国が衝撃的な新地図を発表、アジア各国が猛反発

２０２３年8月、中国の自然資源省が公表した「２０２３年版標準地図」がアジア諸国に波紋を広げました。中国はかねてから独自の認識で南シナ海を「九段線」という破線で囲み、一方的に領有を主張していました。２０２３年の地図では、その九段線がさらに外側に広がり、「十段線」となっていたのです。

九段線の時点で、他国と領有権を争っている複数の地域が含まれていましたが、十段線はもはや南シナ海ほぼ全域の領有権の主張と同義です。

ここで、九段線についておさらいしておきましょう。１９４７年に当時の国民党政権（蒋介石《しょうかいせき》が率いる中華民国）が地図上に11本の破線を引いて南シナ海を囲み、「自国の領海である」と主張したことに始まります。その後、毛沢東《もうたくとう》

台湾東部に新たな線が引かれ「十段線」に
北京
中国
アルナチャル
プラデシュ州
西沙諸島
インド
南シナ海
台湾
日本
太平洋
フィリピン
インド洋
ベトナム
マレーシア
ボルネオ島のマレーシア近くの海域

右●中華民国軍事委員会委員長、同総統兼国民党総裁を歴任した蔣介石＝1964年（共同）
左●第9回共産党大会（九全大会）席上の毛沢東主席（当時）＝1969年（共同）

が率いる共産党政権下で大陸に成立した中華人民共和国が、これを踏襲しました。

中国は、当時の（北）ベトナムが同じ社会主義国家だったことから、11本の破線のうちトンキン湾の2本分をベトナムに譲り、残り9本の破線を他国の領土・領海との境界線としました。

しかし、これを国際社会が認めたという事実はありません。それどころか、中国は1994年に発効した国連海洋法条約を1996年に批准しています。つまり、中国は「引き潮時の海岸線から12カイリ（22キロメートル）までを領海とする」という国連の決まりごとを認めているはずなのですね。中国大陸の海岸線から遠く離れている南シナ海における領有権の主張が国際的に無理筋なのは、明白です。

十段線は台湾を含んで東南アジア諸国の海岸にまで迫り、さらに陸上部分の地図ではインド北東部のアルナチャルプラデシュ州や、ロシアと領有権を争い後に協定で分割に合意したハバロフスク近郊の大ウスリー島の東側も中国領とされています。また、日本の領土である尖閣《せんかく》諸島にも「釣魚島《ちょうぎょとう》」や「赤尾嶼《せきびしょ》」といった中国名が記されていました。

この新しい地図の公表に、日本、フィリピン、ベトナム、マレーシア、インド、台湾など関係各国は激しく反発しています。ロシアは明確な抗議をしていませんが、これは現在ロシアがウクライナ侵攻によって国際的に孤立しているためでしょう。今は中国との関係を悪化させないために黙っているのです。

2023年9月にインドネシアの首都ジャカルタで開かれた東南アジア諸

国連合（ＡＳＥＡＮ）の首脳会合では、南シナ海で覇権的な振る舞いをする中国に対する批判が相次ぎました。

そもそも、２０１６年にオランダ・ハーグの仲裁裁判所による判決で、中国の九段線は明確に否定されています。つまり、中国の主張には法的根拠がないのです。そんなものをさらに十段線にまで拡大するのは、あまりにも身勝手すぎるといえます。

ただ、どれだけＡＳＥＡＮ諸国に反発されようと、現在の中国は聞く耳を持ちません。

台湾と尖閣で有事が起こる可能性のある日本は、この問題の当事者です。しかし、大国となった中国に対して日本ができることはかぎられており、これまで以上に国際的な連携を強化し、その覇権的な振る舞いを抑止していくしかありません。日本や東南アジア諸国は中国との経済的な結びつきも強いため、今後も難しいかじ取りを迫られることでしょう。

中国は台湾に軍事侵攻するのか

台北で行われた双十節の祝賀式典で演説する蔡英文総統＝2023年10月10日（中央通信社＝共同）

2024年はアメリカ大統領選挙の年であると同時に、蔡英文《さいえいぶん》総統の任期満了に伴う台湾総統選挙の年でもあります。台湾の政治のトップが総統です。英語ではthe Presidentと表記します。つまり、日本語で訳すと大統領ですね。しかし、台湾を国と認めていない国もあり、大統領とは呼ばず、中国語である「総統」という呼称がそのまま使われています。

左から台湾総統選挙2024候補の頼清徳氏（中央通信社＝共同）、侯友宜氏（中央通信社＝共同）、柯文哲氏（共同）

台湾の世論調査によれば、2023年11月末時点で、与党である民進党の頼清徳《らいせいとく》候補がリードしており、最大野党である国民党の侯友宜《こうゆうぎ》候補と第3党の台湾民衆党の柯文哲《かぶんてつ》候補がそれを追っています。野党の票が割れることで与党・民進党の頼候補が有利との下馬評が流れています。

　台湾有事の懸念が国際社会に広がる中、誰が台湾の総統になるのかは中台関係に大きく影響します。台湾の統一を目指している中国の習近平指導部としては、中国に融和的な立場をとっている国民党による政権交代を望んでいます。

そもそも、台湾とはどのような存在なのでしょうか。台湾総統選挙のニュースを見て、疑問に思う方もいるでしょう。台湾は「中華民国」と名乗っていますが、中国はそれを認めていません。

中華民国とは、もともと中国大陸にあった国の名称です。日中戦争で日本軍が大陸で戦っていた相手こそ、中華民国でした。１９４５年に日本が敗戦によって中国大陸にいた軍を引き揚げた後、中国大陸では中華民国を支配していた国民党と、国民党に反対する共産党の戦争が起きました。これを「国《こっ》共《きょう》内戦」といいます。

国共内戦で国民党は負け、国民党の関係者は大陸から台湾に逃げ込み、「中華民国」を名乗り続けました。一方、大陸では１９４９年に内戦に勝った共産党による「中華人民共和国」が成立しました。

こうして、大陸に中華人民共和国、台湾に中華民国という「二つの中国」が存在することになったのです。しかし、両者とも「自分たちこそが中国の

中国と台湾のおもな歴史

1912年	中華民国が建国される
1949年	毛沢東が中華人民共和国（今の中国）をつくる 敗れた蒋介石が率いる中華民国は台湾へ
1971年	国連が中華人民共和国を中国の代表と承認する
1972年	日本と中華人民共和国が正常な国交関係を樹立する

代表である」と主張し続けていたのです。

第二次世界大戦後に連合国が国際連合（国連）をつくったとき、中国とは中華民国のことを指しました。しかし、大陸を支配していたのは中華人民共和国でしたので、１９７１年に国連は中華人民共和国を中国の代表だと認め、中華民国は国連から脱退しました。

その後、日本を含めた世界各国も、中華人民共和国を中国の代表だと認め、中華民国は「台湾」と呼ばれることが多くなったのです。

大陸から逃げ込んだ国民党は当初、独裁政党でしたが、後に民主化し、国民党以外の政党をつくることが認められます。それが民主進歩党（民進党）でした。

国民党の関係者はもともと中国大陸に住んでいた人たちの子孫ですから、「中国は一つである。中華人民共和国とも仲良くするべきである」という方針を持つようになりました。一方、民進党の関係者には台湾で生まれ育った人たちの子孫が多く、「自分たちは台湾人である。大陸の中華人民共和国と一緒にはなりたくない」と考える人が多いのです。

第6代の国民党・馬英九《ばえいきゅう》総統時代、台湾政府は中国大陸に接近し、中台貿易が盛んに行われました。しかし、「このままでは台湾が中国に呑み込まれてしまう」と危機感を抱く人が増え、第7代台湾総統に民進党の蔡英文氏が選ばれたのです。

中国と完全に対立してしまうと、台湾の経済は成り立ちません。そのため、蔡政権は中国に対して一定の譲歩を見せていましたが、中国は「一つの中国」にこだわり、これまでさまざまな対抗措置をとってきました。

従来、中国の国家主席は2期で交代してきました。しかし現在、習国家主席は異例の3期目に入り、公に「台湾統一を成し遂げるために武力行使も辞

シンガポールでの中台首脳会談を前に手を振る台湾の馬英九総統（当時・左）と中国の習近平国家主席＝2015年11月（共同）

さない」と述べるなど、台湾統一にいっそう強い意欲を見せています。「建国の父」である毛沢東ですらかなわなかった台湾統一という悲願を、習氏はどうしても自らの手で成し遂げたいのでしょう。

台湾の民主化を支援し続けてきたアメリカは、２０２３年３月の年次報告書で中国について「台湾有事の際にアメリカの介入を抑止できるだけの軍の態勢を２０２７年までに整えるという目標に向けて取り組みを進めている」と分析しています。

独立の考えが強く習指導部が敵視す

る与党・民進党の候補か。それとも中国に融和的な野党・国民党の候補か。総統選挙の結果は、今後の台湾情勢に大きな影響を及ぼすでしょう。

不動産バブル崩壊で日本化する中国経済

3期目に入り領土的野心を隠そうともしなくなった習近平指導部ですが、その足元で、中国の国内経済には逆風が吹き始めています。

アメリカ商務省が2023年8月に発表した貿易統計によると、同年1〜6月のアメリカのモノの輸入相手国で、中国は2022年から2割以上減って15年ぶりに首位から陥落し、メキシコ、カナダに次ぐ3位となりました。

米中対立が激しさを増す中、アメリカが友好国からのモノの調達を増やし、中国依存を減らしているためです。特にアメリカが重要物資と見なす半導体では、サプライチェーン（供給網）の再編が進んでおり、この影響が大きいと見られています。

対する中国も、半導体の材料となるレアメタルや電気自動車（EV）のモーターなどに使われるレアアースの輸出規制に動いています。

対立の余波で、外資企業による対中投資は激減しています。中国国家外貨管理局の発表によると、外国企業による2023年4～6月期の対中直接投資は、前年同期比で87パーセントも減り、過去最大の落ち込みとなっています。

経済安全保障を重視する中、今後も米中の貿易は縮小していく可能性があります。GDPで世界2位の経済大国である中国の経済活動が落ち込めば、その影響は世界にも波及するでしょう。

中国経済の変調の兆候は、すでに至るところに表れています。

2023年8月、中国国家統計局は若者（16～24歳）の失業率の公表を一時的に停止すると発表しました。コロナ禍以降、中国では景気減速に伴って若年失業率が上昇し、6月には21・3パーセントと3カ月連続で過去最高を記録していたところでした。

統計データ公表の一時停止について、中国国家統計局は「社会経済は常に発展・変化しており、労働力調査統計もさらなる改善が必要だ」と説明していますが、要は若者の就職難や国内の景気悪化を国民に知られたくないというのが実情でしょう。

現在、中国では不動産バブルがはじけ、大手不動産会社が相次いで経営危機に陥っています。２０２３年8月17日、経営再建中だった中国不動産大手の中国恒大集団《こうだいしゅうだん》（エバーグランデ）が、米ニューヨークの裁判所に連邦破産法第15条（日本における民事再生法）の適用を申請しました。これは、米国内にある米国籍以外の企業の資産を保護し、資産の強制的な差し押さえを回避するための法律です。中国恒大集団はこの時点で３３００億ドル、日本円でおよそ48兆円の負債を抱えていたとされています。

中国恒大集団は、１９９６年に従業員数人の小さな会社からスタートし、中国の不動産ブームに乗って急成長をした会社です。不動産をはじめ電気自動車の製造、食品・飲料の生産、サッカーチームの運営など幅広い事業を展開し、２０２０年に不動産販売面積で中国2位、２０２０年の売上高は５０

72億元（日本円でおよそ8兆6000億円）にも上っていました。

しかし、事業拡大に伴って借り入れが膨らんだところに中国の住宅販売の低迷が続いて資金繰りに行き詰まり、2021年より債務不履行（デフォルト）が懸念されていました。

さらに注視されているのは、同じく中国不動産大手である碧桂園《へきけいえん》（カントリー・ガーデン）の経営不振です。ドル建て債券の利子の支払いが遅れており、債務不履行の危機に直面しているとされています（2023年10月26日時点）。

2022年末時点で碧桂園が中国国内で手がけるプロジェクトは中国恒大集団の約4倍と圧倒的に多く、2023年6月末時点の負債総額は1兆342億元、日本円にしておよそ27兆円とされています。建設途中で放棄されるプロジェクトも相次いでいます。

中国各地では建設が中断された高層ビル群が数多くあり、まるでゴーストタウンの様相を呈しています。

巨大不動産企業が経営破綻すれば、多数の金融機関が不良債権を抱え込む

中国不動産大手、碧桂園による天津市のマンションの建設現場＝2023年8月（ロイター＝共同）

ことになり、中国経済への大きな打撃になります。影響は中国国内のみならず世界にまでおよび、金融危機を引き起こしかねません。

巨大不動産企業の経営破綻が、中国や世界の経済にどのように影響するのか。先行きはまだ見通せませんが、経営危機にある企業を中国政府が救済すれば、国民の「金持ちを助けるのか」という不満が爆発するでしょう。中国政府は難しいかじ取りを迫られています。

現在のところ、これら不動産大手の経営危機に対し、中国政府は積極的な支援策を打ち出していません。これは習近平主席がかねてより「共同富裕（共に豊かになる）」という方針を掲げているからでしょう。

共同富裕の考え方では、不動産投資で金もうけをする人々などもってのほかです。習主席には、不動産で金もうけをしていた民間企業はつぶれるに任せ、国有企業を優遇したいという考えがあるように見えます。

２０２３年９月、中国当局は、中国恒大集団の創業者である許家印《きょかいん》会長を拘束し、「違法犯罪に関わった疑いで法に基づく強制措置を取った」と説明しています。

「共同富裕」で塾禁止、タピオカ配達員に扮した家庭教師が横行

「共同富裕」について説明しておきましょう。

中華人民共和国を建国した毛沢東がスローガンにしていたのが「共同富裕」です。読んで字のごとく「みんなが平等に豊かになろう」という意味です。

しかし、貧困や格差をなくすことに力を入れたところ、「どうせ頑張っても結果は同じで報われない」と考える人が多くなり、労働の生産性は上がらず、国が貧しくなってしまいました。

そこで、毛沢東の後に最高指導者となった鄧小平《とうしょうへい》は「先富論《せんぷろん》」という考え方を打ち出しました。これは、「金持ちになれる人間は先に金持ちになってよい。いずれ富は全体に行き渡る」というものです。

ところが実際には、とてつもない大金持ちが生まれる一方で、豊かになれ

ない人もいて、格差が拡大してしまいました。そして、豊かになれなかった人々からは政府への不満が出てしまいました。

そこで、鄧小平の後に最高指導者となった習近平国家主席は、再び共同富裕を掲げたのです。

近年、習主席が注目したのが子どもたちの塾通いです。人口の多い中国は、日本よりはるかに激しい受験競争が行われています。そして、「豊かになるにはいい学校に行く必要がある」と考える親たちは、こぞって子どもたちを塾に通わせていました。しかし、塾の費用は高く、親がその費用を出せるお金持ちの子どもだけが受験勉強で有利になるという状態が続いていたのです。

そこで習主席は２０２１年、「校外

人権より国権（国家の統治権）のほうが重要だと強調していた鄧小平・元国家中央軍事委員会主席（共同）

学習の規制」に乗り出し、塾を禁止しました。塾がなくなれば子どもたちの勉強の機会は平等になり、一部の子どもだけが受験で有利になることがなくなると考えたのですね。

ところが、中国には昔から「上に政策あれば下に対策あり」という言葉があります。政府が何かを決めても、国民はそれをすり抜ける対策を考えるという意味です。政府による塾の禁止に対して、子どもを何としても受験競争で勝たせたい親がとった対策が「家庭教師」です。

家庭教師は塾よりも多くの費用がかかります。お金持ちだけが家庭教師を雇えるのであれば、格差は一段と広がることになります。政府がいい顔をしないことは必至でした。

そこで、家庭教師を雇った親たちは、政府ににらまれないように家庭教師に「タピオカドリンクの配達員」になるよう頼みました。家庭教師はタピオカドリンクの配達に来た体で生徒の家に上がり、こっそりと勉強を教えるのです。授業料は「タピオカドリンクの配達料金」ということにしました。ずいぶん高い飲み物です。北京大学に留学した私の知人（日本人）は、「級友がみんなタピオカドリンクを配達しています」と苦笑していました。

現在ではこの対策も知れ渡り、中国教育省は次の政策として無許可の家庭教師サービスに多額の罰金を科して取り締まろうとしています。ただ、激しい競争社会がなくならないかぎり、新たな「対策」が始まるだけでしょう。

中国の経済成長に急ブレーキがかかったことをもって、世界では「中国の日本化」などといわれています。日本で１９９１年以降に起きたバブル経済の崩壊と似た現象が今、中国では起きているのですね。

共同富裕を掲げる習主席は国内の格差を解消することに躍起になっていますが、それによって起こった中国経済の日本化により、世界経済を引っ張ってきた力が急激に失われることは避けられません。

弾道ミサイル発射を繰り返す北朝鮮、安全保障協力を強化する日米韓

北朝鮮のミサイル発射は、日常茶飯事になりました。早朝、「Ｊアラート（全国瞬時警報システム）」の警報が鳴り響き、驚いて目が覚めたことは一度や二度ではないでしょう。

日本の防衛省および韓国軍合同参謀本部の発表によれば、北朝鮮は２０２３年１月～７月20日の間に合計11回、15発の弾道ミサイル等を発射しています。ここに巡航ミサイルの発射も含めれば、16回、少なくとも27発の発射となります。

また、２０２３年11月には「軍事偵察衛星」の打ち上げに成功したと北朝鮮は発表しましたが、打ち上げに使われたロケットは要するにミサイルです。

このように、近年の北朝鮮は、射程距離が５５００キロメートル以上のＩ

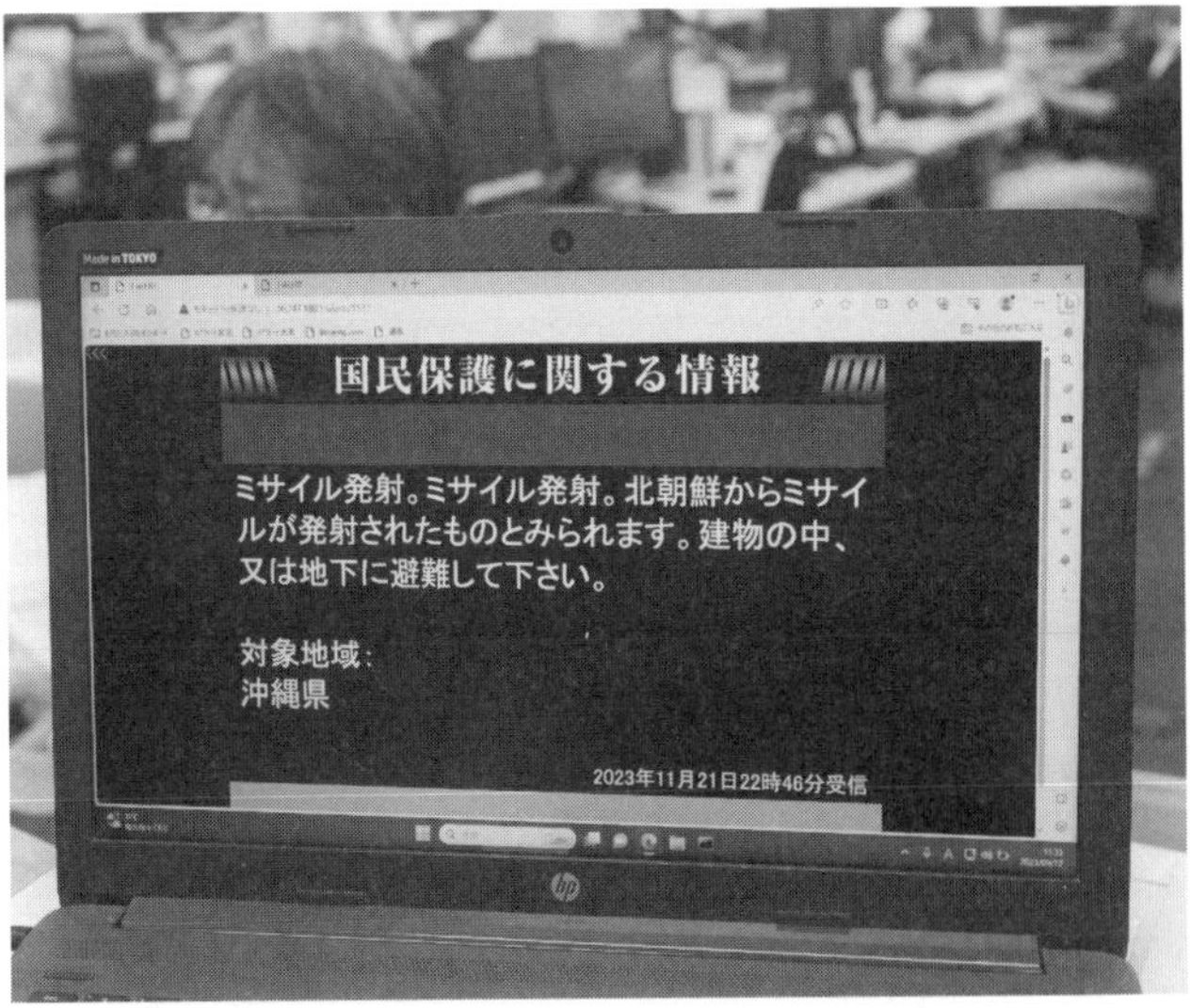

北朝鮮がミサイルを発射したことを伝えるJアラートの画面＝2023年11月21日（共同）

ＣＢＭ（大陸間弾道ミサイル）級の増強に集中的に取り組んでいます。これらのミサイルは、通常より真上に近い角度をつけて打ち上げ射程を短くとる「ロフテッド軌道」で発射されているため、大半は日本の排他的経済水域（ＥＥＺ）の外側の日本海に落下しています。

しかし、これを通常の角度で発射すれば、弾頭の重さによっては射程距離が１万５０００キロメートルを超えます。そのため、北朝鮮は技術的にはすでに弾道ミサイルで日本を攻撃する能力を持っており、アメリカ全土も射程に含まれると考えられます。

北朝鮮は弾道ミサイルだけでなく核兵器の開発も進めており、一度は閉鎖された北東部の豊渓里《プンゲリ》にある核実験場では復旧の動きが確認されています。このまま北朝鮮が核実験を再開し、技術開発が進めば、やがて北朝鮮は弾頭に核兵器を搭載した新型の弾道ミサイルで、アメリカ全土を射程圏におさめることができます。

核兵器に関しては、2022年2月24日に始まったロシアのウクライナ侵攻が、今後の北朝鮮の姿勢に影響するという指摘があります。実は、東西冷戦終結後、1991年12月にソビエト連邦が崩壊し、ウクライナはアメリカ、ロシア（旧ソビエト連邦）に次ぐ世界3位の核保有国となりました。ソ連は国内の一部だったウクライナに大量の核ミサイルを保管していたからです。しかし、1994年12月の「ブダペスト覚書」によってウクライナは核兵器を放棄してロシアに引き渡したのです。

ブダペスト覚書は、ウクライナの核放棄と引き換えに、領土の安全と独立国家としての主権を、アメリカ、イギリス、ロシアの3カ国が保証するというものでした。

しかし、結局、ウクライナはロシアに侵攻されてしまい、アメリカやイギリスは直接的な軍事介入を行いませんでした。覚書は反故《ほご》にされたのです。見方によっては、ウクライナは核兵器を手放したためにロシアに攻め込まれたともとれるわけです。この歴史を知る北朝鮮の金正恩総書記が核を放棄することはないでしょう。逆に、よりいっそう核武力を増強すると考えられます。

これまで北朝鮮のミサイルが日本の領土に飛来したことはありませんが、万が一にも落下すれば甚大な被害が生じます。したがって、日本としては、莫大な税金を使って対策を講じざるを得ません。防衛省によると、日本のミサイル防衛システムは、運用が始まった2004年度から2022年度までの予算で累計2・8兆円もつぎ込んでいます。北朝鮮が弾道ミサイルの発射を繰り返すことによって、私たち国民の納めた税金が費やされているのですね。

そんな多額の税金を費やしている日本のミサイル防衛システムは、２段構えです。仮に北朝鮮から日本に向けてミサイルが発射されたとしましょう。ミサイルをレーダーで確認したら、日本海に待機している海上自衛隊のイージス艦が迎撃ミサイル（ＳＭ３）を発射して撃ち落とします。これが１段目の防御です。

この防御が失敗した場合は、２段目の防御として、日本の国土に配備された航空自衛隊のパトリオット（ＰＡＣ３）で撃ち落とします。

すっかりおなじみになった「Ｊアラート」は、日本政府が人工衛星を使って、緊急事態に関する情報を即座に国民に伝達するシステムで、２００７年から運用されています。弾道ミサイル情報のほか、大津波警報や緊急地震速報などを伝える際にも使われています。

このうち、弾道ミサイルが日本の領土・領海に落下、または日本上空を通過する恐れがあると判断された場合に、対象地域の市町村に設置されている防災行政無線等を自動起動させ、瞬時に警報を発する設定になっています。

「Ｊアラートを鳴らしても、結局ミサイルは落ちてこないじゃないか。必要ないだろう」という批判もあります。しかし、万が一にも弾道ミサイルが日本の領土・領海に着弾することになれば大きな被害が生じかねないため、煩わしく感じてもやはり必要でしょう。

現在、日本はアメリカと韓国と連携し、北朝鮮に対して偵察衛星（日本政府は情報収集衛星と呼称）による情報収集に加え、全国各地のレーダーや航空機、艦船などでその動きを24時間態勢の警戒監視を行っています。また、これまでは日本と韓国がそれぞれ同盟関係にあるアメリカと個別に共有していたミサイル発射に関するデータを、３カ国でリアルタイムに共有するシステムの運用が２０２３年内に開始されることになっています（２０２３年11月末時点）。

北朝鮮により近い韓国は、発射直後の低い高度の動きを日本より把握しやすく、逆に日本の近くにミサイルが落下する際には、韓国よりも日本のほうがより早くミサイルの動きを把握できます。日本と韓国がリアルタイムに情報共有できるようになることで、迎撃能力や避難情報の迅速性の向上が見込

上●平壌での共同宣言から5年、ソウルでの記念式典で演説する韓国の文在寅前大統領＝２０２３年９月19日（共同）
下●ソウルで行われた「国民の力」の選挙対策本部解散式でガッツポーズする尹錫悦氏＝２０２２年３月10日（共同）

めるのですね。

２０２２年に韓国の大統領が、反日的な振る舞いが目立った文在寅《ムンジェイン》氏から尹錫悦《ユンソンニョル》氏に代わったのは、日本にとって好ましいことでした。尹政権になってから、日本と韓国との関係は急ピッチで改善しています。非同盟関係にある日本と韓国が、北朝鮮のミサイル発射のデータをリアルタイムに共有することなどは、尹政権下でなければ実現しなかったでしょう。これまでの韓国の大統領は、政権の支持率が落ちたり政治的な追及を受けたりすると、国民に向けて反日の強硬姿勢をとることがしばしばありました。しかし、これまでの尹大統領の動向を見るかぎり、そのようなリーダーではなさそうです。

お互いの国民を北朝鮮の核とミサイルの脅威から守るため、日本としては反日感情を政治利用しない尹政権が、できるだけ長く続くことを期待したいところです。

歴史問題より安全保障を重視、日韓関係は新時代へ

2023年に入って、日韓関係が急速に改善しています。3月6日、日韓関係の最大の懸案となっていた「徴用工問題」で、前年5月に就任した韓国の尹錫悦大統領が「解決策」を発表したのにはじまり、3月16日には首相官邸で岸田文雄首相と尹大統領との日韓首脳会談が行われ、この場で両首脳は相手国を相互訪問する「シャトル外交の再開」に合意しました。

尹大統領は歴史認識問題についても、「日本はすでに何度も謝罪している」と述べています。これは韓国内の野党やメディアに強く批判されかねない、非常に勇気ある発言です。リスクをとってでも日韓関係改善を成し遂げたいという、尹大統領の意気込みがうかがえます。

尹大統領は幼少時に父親の日本留学に同行し、日本に在住した経験があり

ます。「銀座で食べたオムライスが忘れられない」とのことで、2023年3月の来日時には岸田首相が銀座・煉瓦亭のオムライスを振る舞いました。尹大統領個人の日本に対する親しみが、日韓関係にいい影響を及ぼしているといえそうです。

首脳会談から2カ月とたたない5月7日には、岸田首相が韓国を訪問しました。日韓のシャトル外交は、2011年に李明博《イミョンバク》大統領（当時）が訪日して以降、久しく途絶えていました。日本の首相の訪韓も、2018年2月に当時の安倍晋三首相が平昌《ピョンチャン》冬季オリンピックの開会式に出席して以来のことです。

両首脳のよい信頼関係を背景として、その前月の4月には、双方の外務・防衛当局幹部が意見交換をする「日韓安全保障対話」もおよそ5年ぶりに復活しています。

5月23日には、東京電力福島第1原子力発電所の処理水の海洋放出に関して、韓国から視察団が来日し、現地で放出設備全体の運営状況を確認しました。日韓関係が冷え込んでいた文在寅前政権下であれば、おそらく韓国の与党からも強い批判がなされていたはずです。中国が科学的根拠に乏しい批判を繰り広げる中、尹大統領は「国際原子力機関（IAEA）による科学的で客観的な見解を重視する」という、日本の立場を理解する発言をしました。

尹大統領の日本への歩み寄りを受けて、5月に広島で開催されたG7サミット（主要国首脳会議）で議長国日本は、尹大統領をG20の一員として招待しました。このG7サミットでは、主要7カ国の首脳による原爆死没者慰霊碑への献花とウクライナのゼレンスキー大統領の来日ばかりが報道されていましたよね。

しかし私は、尹大統領と岸田首相がそろって韓国人原爆犠牲者慰霊碑に献花するシーンに強く心を動かされました。韓国人原爆犠牲者慰霊碑への献花は、韓国の現職大統領として初めてのことです。戦時中の広島は軍都でしたから、朝鮮半島出身の人も日本兵や工員として多くいたのですね。原爆の死者14万人のうち、2万人が朝鮮半島出身者だったとされています。

長く冷え込んでいた日韓関係の雪解け。韓国の保守派である尹大統領の念

G7広島サミット開催中、広島市の平和記念公園内の韓国人原爆犠牲者慰霊碑に献花した韓国の尹錫悦大統領夫妻（左）と岸田文雄首相夫妻＝2023年5月21日（代表撮影・共同）

頭には、もちろん北朝鮮の脅威があるはずです。核と弾道ミサイルの開発を進める北朝鮮の脅威から国民を守るためには、日韓、日米韓の安全保障上の連携強化が必要です。

東アジアで台頭する中国に対抗するためにも、安全保障と経済の両面で自由と民主主義の価値観を共有する日米韓は、より緊密な協力をしていかねばなりません。そのために、今、日本と韓国は関係の改善を急ピッチで進めているのですね。日韓関係の新時代に期待したいものです。

疑心暗鬼に満ちた独裁者、金正恩総書記

弾道ミサイルの発射実験を繰り返し、核実験再開の兆候まで見せている北朝鮮に対し、国連の安全保障理事会はたびたび非難の共同声明を発表していますｊ。しかし、北朝鮮はこれをものともしません。

国連に「経済状況の悪化にともない、北朝鮮の国民は飢餓状態に陥っている」という報告も上がる中、なぜ最高指導者である金正恩総書記は、多額の費用を投じてミサイル・核開発を進めるのでしょうか。

１９５０年、金日成《キムイルソン》の率いる北朝鮮軍が、突然、北緯38度線を越えて韓国に侵攻しました。朝鮮半島全体を支配しようとしたもので、これが朝鮮戦争の始まりです。

北朝鮮軍は一時ソウルを占領しましたが、主にアメリカ軍で構成される国

連軍が韓国軍を支援してソウルを奪還。さらに、韓国軍・国連軍は北緯38度線を越えて平壌《ピョンヤン》を陥落させました。
その後、中華人民共和国の義勇軍（という建前の正規軍）が北朝鮮側を支援したことで、国連軍は平壌を放棄して、一時、ソウルまで制圧されます。しかし、アメリカが改めて大軍を送り込んで北朝鮮軍を北緯38度線まで撃退し、休戦状態になりました（つまり、この戦争は今も終わっていません）。
北朝鮮がアメリカ本土まで届く弾道ミサイルと核兵器の開発にひどく執着するのは、朝鮮戦争でアメリカ軍によ

北朝鮮の朝鮮労働党創建65周年を記念する平壌での軍事パレードを観閲した金正日総書記（左・当時）と三男の正恩氏（右）＝2010年10月（共同）

って大打撃を受けたトラウマが大きいからでしょう。

また、北朝鮮の指導者は世襲ですから、国民からどれだけ支持されているかわからないという不安を常に抱えています。現在の第3代最高指導者・金正恩総書記は、第2代最高指導者であった金正日《キムジョンイル》の三男。国民から選ばれたのではなく、父親から権力を継承しただけです。

疑心暗鬼に満ちた金正恩氏は、幹部はじめ全国民に絶対服従、絶対忠誠を誓わせる唯一独裁体制を敷きました。自分の父親の金正日時代の幹部たちを次々と粛清、もしくは更迭したのです。さらに、金正恩氏の後見人と目されていた張成沢《チャンソンテク》氏を処刑しました。張成沢氏は金正日の妹と結婚していて、彼にとって金正恩氏は甥です。金正恩体制の実質的なナンバー2と見られていただけに、衝撃的でした。

また、独裁性のある指導者というものは、体制を保つために「強いリーダ

金正恩第1書記（当時）は、叔父で事実上のナンバー2だった張成沢・元国防委員会副委員長を粛清した＝2013年12月13日（共同）

航空節を記念して朝鮮人民軍第1空軍師団飛行連隊を訪れ、デモ飛行を参観する金正恩朝鮮労働党総書記（左）と娘＝2023年11月30日（朝鮮通信／共同通信イメージズ）

ー」としての振る舞いを国民に常に見せ続ける必要があります。

ですから、国連に加盟する大多数の国がミサイルの発射や核開発に非難や懸念を示そうと、北朝鮮は「わが国を攻撃すれば無慈悲に報復を行う」などの強い言葉を使って反発してみせるのです。これは国民に向けたパフォーマンスであって、本音は、「攻撃しないでください」というところでしょう。

column

北朝鮮の「国防5カ年計画」

金正恩総書記は、2021年1月の朝鮮労働党第8回大会で「国防5カ年計画」なるものを打ち出しました。党設立80年の節目である2025年までに、国防経済事業を飛躍的に強化して発展させるとし、具体的に以下（126ページ参照）の目標を挙げています。

北朝鮮は、今後もこの「国防5カ年計画」の達成に向けて、各種ミサイルの発射を繰り返していくと考えられます。日本としては、日米・日米韓の連携をより強化して、北朝鮮の核・ミサイル開発の動きを注視していくことが必要です。

朝鮮労働党第8回大会で金正恩委員長が提示した「国防5カ年計画」の主な内容(軍事関連)(2021年1月)

核技術のさらなる高度化
核兵器の小型・軽量化、戦術兵器化のさらなる発展
超大型核弾頭の生産の持続的な推進
15,000km射程圏内の任意の戦略的諸対象を正確に打撃する命中率のさらなる向上、核先制及び報復打撃力の高度化
近い期間内の「極超音速滑空飛行弾頭」の開発、導入
水中及び地上固体エンジン大陸間弾道ミサイル開発事業の推進
原子力潜水艦と水中発射核戦略兵器の保有
近い期間内の軍事偵察衛星の運用
500km前方の縦深まで偵察可能な無人偵察機をはじめとする諸偵察手段の開発

出典:令和4(2022)年版防衛白書

第4章

情勢が緊迫する中東、ヨーロッパとグローバルサウス

パレスチナ問題
——イスラエルとハマス、対立の理由

パレスチナ自治区ガザ地区からイスラエルに向けて発射されたロケット弾＝2023年10月7日(ロイター＝共同)

2023年10月7日の早朝、パレスチナ自治区ガザ地区を実効支配するイスラム武装勢力ハマスが、イスラエルに大規模な無差別攻撃を仕掛けました。

午前6時半ごろ、ガザ地区から大量のロケット弾での攻撃が発生。発射されたロケット弾の数については、2000〜5000発以上ともいわれており、イスラエルの持つ強力な防空迎撃システム・アイアンドームの能力を優

に超えていたようです。そのロケット攻撃と前後して、ハマスの戦闘員がガザを取り囲んでいる壁を越えてイスラエルに侵入。目につく人々を無差別に銃撃し、殺害し、人質を取りました。

イスラエルとガザ地区の境界には、高さ8メートルのコンクリート壁と約600メートルの緩衝《かんしょう》地帯があります。通常、ガザ地区側から無許可でイスラエル側に近づくことはできません。

しかしその日、イスラエルは1週間にわたるユダヤ教の祭りが終わった後の安息日で、兵士も警察官も多くは自宅で過ごしていたといいます。今回のハマスの襲撃は、その隙をついた形です。

ハマスの襲撃に対して、イスラエルも直ちに報復としてガザ地区に激しい空爆を行いました。イスラエル当局によると2023年11月20日時点で、イスラエル側ではハマスの攻撃で少なくとも1200人が死亡し、外国人を含む200人以上が人質として連れ去られたとしています。被害者の多くは一般市民です。

イスラエルの空爆によって損壊したパレスチナ自治区ガザ地区のモスク＝2023年10月8日（ロイター＝共同）

一方、ガザ地区でも空爆により1万人以上が死亡し、そのうち4000人以上は子どもたちだと発表されています。

激しい衝突は今も続いています。一時的な休戦はあり、人質の一部は解放されましたが、双方の犠牲者は増え続けています。この問題はすぐには収束しないでしょう。国際社会が協力して、争いがエスカレートしないようイスラエルとパレスチナの双方に働きかけを続ける必要があります。

今回の衝突は、「パレスチナ問題」を解決するために結ばれた「オスロ合

郵便はがき

おそれいりますが
切手を
お貼りください。

102-8790

東京都千代田区
九段南1-6-17
毎日新聞出版
営業本部 営業部行

		ご記入日：西暦　　年　　月　　日
フリガナ		男 性・女 性 その他・回答しない
氏　　名		歳
住　　所	〒　　- TEL　　（　　　）	
メールアドレス		

ご希望の方はチェックを入れてください

毎日新聞出版からのお知らせ ………… ✔

毎日新聞社からのお知らせ（毎日情報メール）… ✔

毎日新聞出版の新刊や書籍に関する情報、イベントなどのご案内ほか、毎日新聞社のシンポジウム・セミナーなどのイベント情報、商品券・招待券、お得なプレゼント情報やサービスをご案内いたします。

ご記入いただいた個人情報は、(1)商品・サービスの改良、利便性向上など、業務の遂行及び業務に関するご案内(2)書籍をはじめとした商品・サービスの配送・提供、(3)商品・サービスのご案内という利用目的の範囲内で使わせていただきます。以上にご同意の上、ご送付ください。個人情報取り扱いについて、詳しくは毎日新聞出版及び毎日新聞社の公式サイトをご確認ください。

本アンケート（ご意見・ご感想やメルマガのご希望など）はインターネットからも受け付けております。右記二次元コードからアクセスください。
※毎日新聞出版公式サイト（URL）からもアクセスいただけます。

この度はご購読ありがとうございます。アンケートにご協力お願いします。

本のタイトル

●本書を何でお知りになりましたか？（○をお付けください。複数回答可）

1.書店店頭　2.ネット書店

3.広告を見て（新聞／雑誌名　　）

4.書評を見て（新聞／雑誌名　　）

5.人にすすめられて

6.テレビ／ラジオで（番組名　　）

7.その他（　　）

●購入のきっかけは何ですか?（○をお付けください。複数回答可）

1.著者のファンだから　2.新聞連載を読んで面白かったから

3.人にすすめられたから　4.タイトル・表紙が気に入ったから

5.テーマ・内容に興味があったから　6.店頭で目に留まったから

7.SNSやクチコミを見て　8.電子書籍で購入できたから

9.その他（　　）

●本書を読んでのご感想やご意見をお聞かせください。

※パソコンやスマートフォンなどからでもご感想・ご意見を募集しております。
詳しくは、本ハガキのオモテ面をご覧ください。

●上記のご感想・ご意見を本書のPRに使用してもよろしいですか?

1. 可　2. 匿名で可　3. 不可

意」からちょうど30年という節目の年に起きました。

もう約75年にわたり、パレスチナの地ではイスラエルに属するユダヤ人とパレスチナに属するアラブ人（パレスチナ人）が激しく対立し、たびたび激しい戦闘を行っているのです。

パレスチナ問題と呼ばれるこの紛争に、解決の兆しが一向に見えてこないのはなぜでしょうか？　問題の背景にあるパレスチナの歴史を見ていきましょう。

紀元前、この地にはユダヤ人の国家がありました。しかし、ローマ帝国によって滅ぼされ、多くのユダヤ人はヨーロッパやロシア、そして世界各地に離散していきます。これをディアスポラ（離散民）といいます。

ユダヤ人たちは流れ着いた地でコミュニティーをつくって暮らしましたが、キリスト教圏にあってユダヤ教を信仰する彼らは差別や迫害を受け続けていました。また、ユダヤ人がいなくなったパレスチナの地では、アラブ人が暮らしはじめ、この地はパレスチナと呼ばれるようになりました。

第一次世界大戦中の1915年、連合国側であったイギリスは、敵側のオスマン帝国を弱体化させるため、オスマン帝国の支配下にあったパレスチナ地方のアラブ人たちに「オスマン帝国に反逆すればパレスチナの地にアラブ人国家を認める」と約束しました。これが、「フサイン・マクマホン協定」です。

一方で、イギリスは戦費を調達するために、ヨーロッパのキリスト教社会で迫害されていたユダヤ人たちに「連合国側につけばパレスチナの地にユダヤ人のナショナル・ホームを認める」とも告げました。これが1917年の「バルフォア宣言」です。

ところが、イギリスはこの二つの約束の裏で、フランスおよびロシア帝国とオスマン帝国領の分割を密約していたのです。これが「サイクス・ピコ協定」とされるもので、1916年のことです。

つまり、パレスチナ問題が複雑化した背景には、イギリスの「三枚舌外交」があったといえるのですね。

イギリスの「三枚舌外交」

1915年	アラブ人に「独立国家を約束」（フサイン・マクマホン協定）
1916年	フランスおよびロシア帝国と「中東を分配支配」（サイクス・ピコ協定）
1917年	ユダヤ人に「国家建設を支持」（バルフォア宣言）

ユダヤ人たちはバルフォア宣言に基づき、１９２０年ごろからパレスチナへの入植を始めます。各地で迫害されていた彼らは、ユダヤ教の聖地・エルサレムに戻り、自分たちの国をつくりたいと考えていたわけですね。

その後、ナチス・ドイツによるユダヤ人の大量虐殺が起きていたこともあり、この流れは加速していきました。このため、以前よりパレスチナの地に住んでいたアラブ人たちとの衝突が起きたのです。

パレスチナ・ガザ地区とはどういう場所か

パレスチナの地に大挙して入植したユダヤ人とアラブ人の争いは、絶えませんでした。そのため、国際連合（国連）は第二次世界大戦後の１９４７年11月、パレスチナの地をユダヤ人とアラブ人それぞれの国家として分割し、三つの宗教の聖地であったエルサレム（これについては１４３ページで詳しく述べます）を「国際管理都市」とする「パレスチナ分割」を決議します。事の発端のイギリスは、パレスチナ問題を国連に丸投げしてパレスチナの地の委任統治から撤退したわけです。

そして、国連の決議に基づいて、翌年の１９４８年5月14日にイスラエルというユダヤ人の国家が建国されました。

ところが、まわりのアラブの国々はイスラエルの建国を認めず、イスラエルを攻撃しました。これが「中東戦争」とされるもので、これまでに大きなもので4回起きています。

中東戦争は、事態を予測して周到に戦争の準備をしていたイスラエルの圧勝でした。イスラエルはアラブ側の攻撃を持ちこたえ、国連の分割案よりも広い地域を占領します。特にイスラエル側からエジプト・シリア・ヨルダンに先制攻撃を仕掛けた第三次中東戦争で、イスラエルはエルサレムを完全に占領し「エルサレムはイスラエルの首都である」と宣言しました。

ただ、イスラエルを建国したときの決め事では、本来、エルサレムという地はどこの国のものでもありません。そのため、日本を含め多くの国はエルサレムをいまだイスラエルの首都とは認めておらず、エルサレムには大使館を置いていません。

中東戦争では大量のパレスチナ難民が発生しました。彼らは、1993年にイスラエルとパレスチナ人の代表のPLO（パレスチナ解放機構）との間で結ばれた「オスロ合意」に基づいて、現在、ヨルダン川西岸地区とガザ地区という2カ所の自治区で生活をしています。

「オスロ合意」は、当時のノルウェー外相・ホルストの仲介によって成立した、イスラエルとパレスチナの和平合意です。当時のイスラエルとPLOの担当者がノルウェーの首都オスロで秘密交渉を行い、その後、イスラエルのラビン首相とPLOのアラファト議長が最終的にアメリカのクリントン大統領（当時）の立ち会いのもと、ワシントンのホワイトハウスで「パレスチナ暫定自治に関する原則宣言」に調印しました。

オスロ合意は、ヨルダン川西岸地区とガザ地区に「パレスチナ自治区」をつくり、パレスチナ人がとりあえず自治をできるようにしたうえで、パレスチナの地の将来について話し合おうというものでした。

しかしその後、話し合いは進まず、自分たちの国家を建設できないことにしびれを切らしたパレスチナ人の過激派がイスラエルを攻撃し、イスラエルがそれに反撃するという状態が続いてきました。

ヨルダン川西岸地区は日本でいえば三重県くらいの面積で、現在、そこに

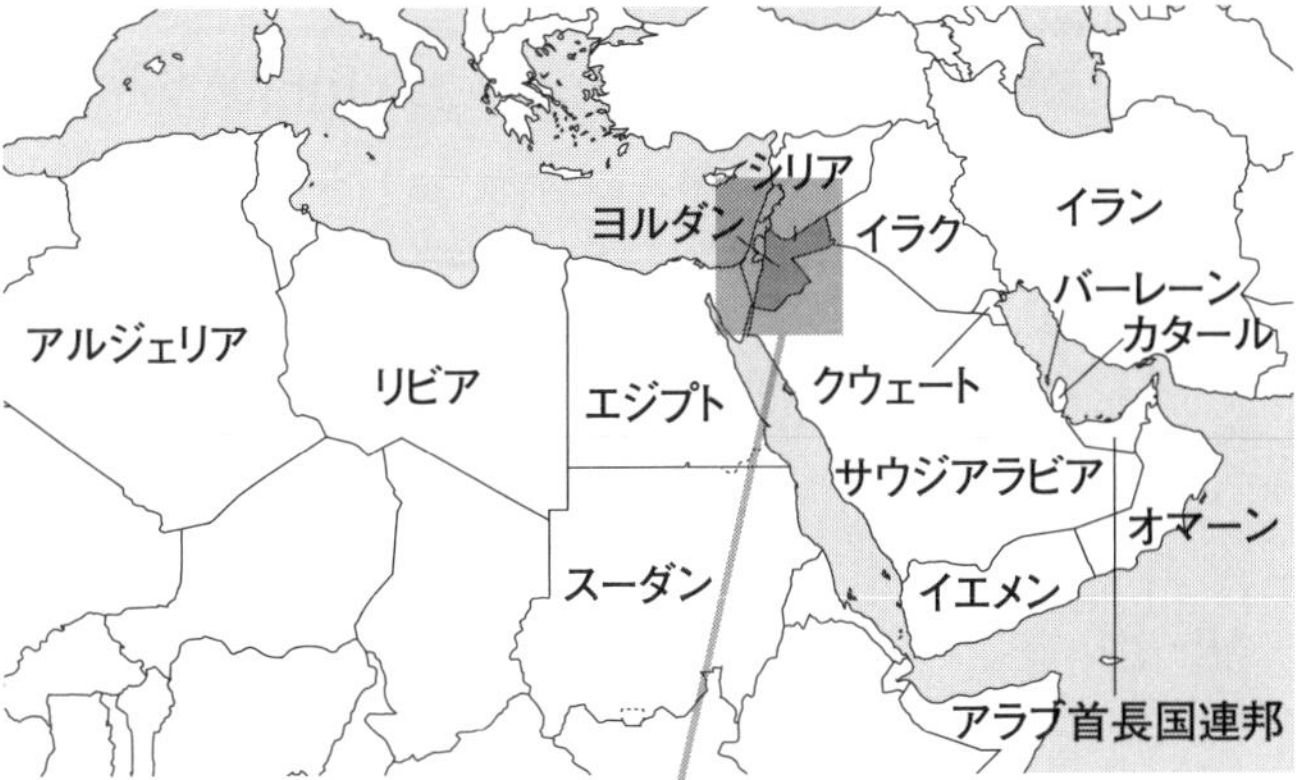

パレスチナ自治区
ヨルダン川西岸地区
面積：三重県ぐらい
人口：約325万人

パレスチナ自治区
ガザ地区
面積：福岡市ぐらい
人口：約222万人

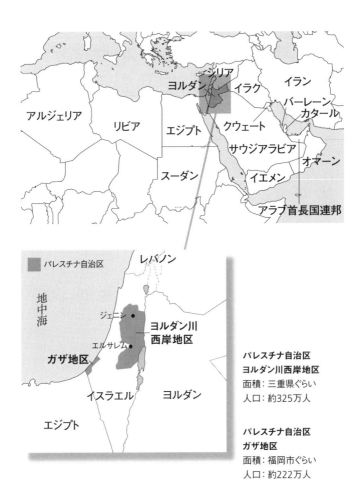

およそ325万人が暮らしています。ガザ地区に至っては、福岡市よりやや広い土地に、およそ222万人がすし詰めで暮らしています。

自治区ですから、住民の自治は認められていても正式な国ではありません。そして、イスラエルは「過激派の攻撃を防ぐ」という理由でこれらの自治区を高い壁で囲って人々の行き来を制限しています。特にガザ地区については2007年より軍事的に封鎖されています。

私は10年ほど前にガザ地区の中を取材したことがあります。徹底的な手荷物検査を受けて壁の中に入ると、600メートルほどの緩衝地帯がありました。ガザ地区の住民がこの緩衝地帯を越えてイスラエルとの境界の壁に近づこうとすると、イスラエル軍から狙撃されるという状況です。

当時のガザ地区内部は、コンクリートの建物はあれどインフラまでは十分に整っていない劣悪な環境でした。水はけも悪く、私が取材で入る少し前に降った雨で道路は水浸しになり、悪臭が立ちこめていました。まともな産業がありませんから人々は貧しく、失業率は50パーセントを優に超えているとされています。

しばしばガザ地区は「天井のない監獄」といわれます。まさにそのとおりの場所です。このような環境で、ガザ地区に住むパレスチナ人はイスラエルを敵視するようになるのです。

結果として、反イスラエルの立場が強硬なイスラム武装勢力ハマスが強い力を持ち、この地を実効支配するようになったのです。

1993年のオスロ合意によって、パレスチナ問題は、散発的な衝突は起きつつも、ある程度は沈静化していました。

しかし、2017年12月6日、アメリカのドナルド・トランプ前大統領が「エルサレムをイスラエルの首都として正式に認める」と発表し、実際にテルアビブからエルサレムにアメリカ大使館を移してしまったのです。

これは、エルサレムをイスラエルの首都と認めていない国際社会と異なる主張であり、アメリカの歴代政権が継続していた政策からの転換です。このときのトランプ大統領は、右派の支持層を引きつける目的があったと考えら

イスラエルのネタニヤフ首相はテルアビブで記者会見し、「戦争は第2段階に突入した」と述べ、攻撃をさらに強化していく考えを示した＝2023年10月29日（新華社／共同通信イメージズ）

れています。

しかし、これはパレスチナとイスラエルの関係が急激に悪化する一因にもなりました。アメリカの同盟国を含むイスラム世界の諸国はこれに深刻な懸念を示し、特にガザ地区を支配していたイスラム武装勢力ハマスは激しく反発しました。

２０２３年10月からの大規模な武力衝突の原因の一つに、トランプ政権下のアメリカのイスラエル寄りの中東政策があったのは確かでしょう。

また現在のイスラエルのベンヤミン・ネタニヤフ政権は、パレスチナの

サウジアラビアとイスラエルの国交正常化の協議をめぐる構図

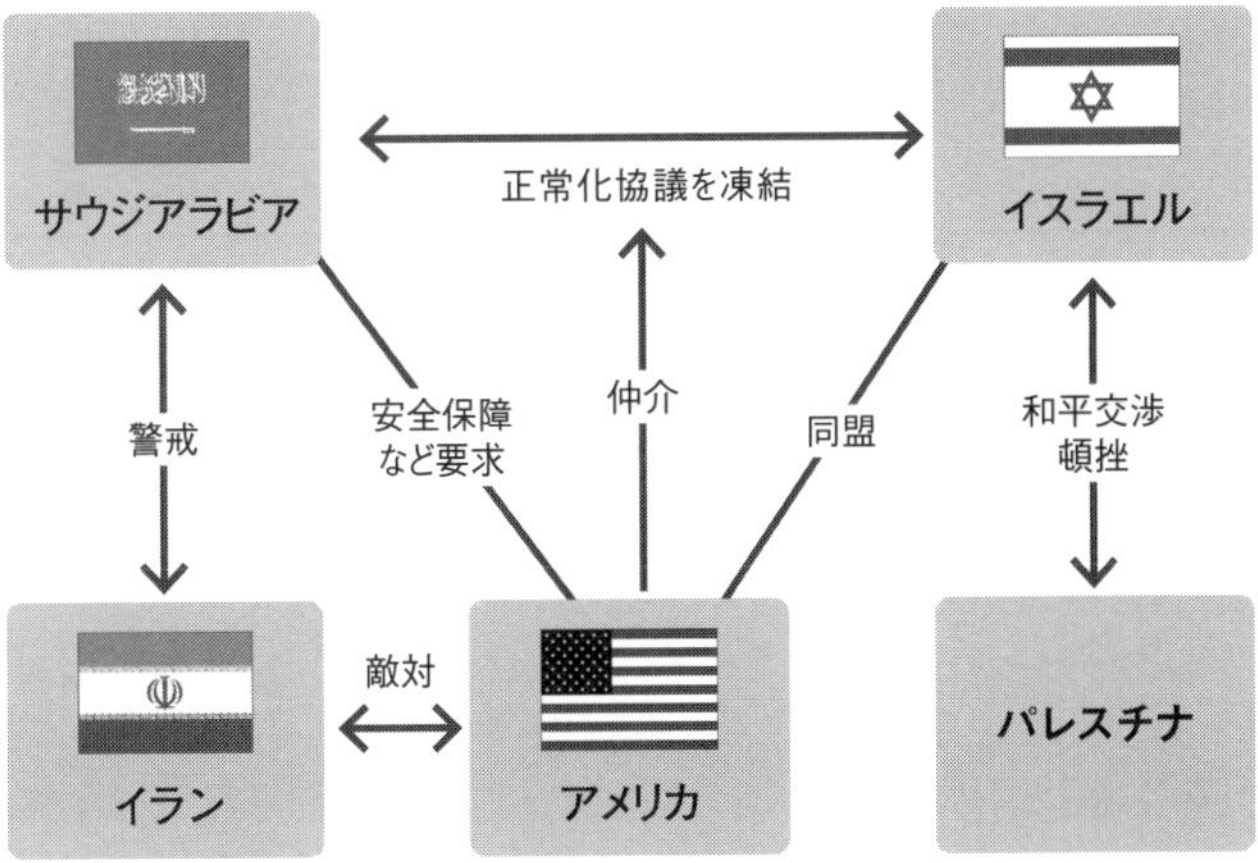

存在を認めないような過激なユダヤ政党と連立政権を組んでいて、パレスチナに強い態度で臨み、しばしば「テロリストを攻撃する」と言ってパレスチナ自治区を空爆してきました。この態度がパレスチナの人たちを絶望的な気持ちにしてきたのです。

もう一つ重要な背景は、湾岸のアラブ諸国、特にアラブの盟主とされるサウジアラビアとイスラエルの関係正常化の動きです。

両者は近年、アメリカのバイデン政権の仲介で国交正常化交渉を進めていました。この動きがハマスに「パレスチナが見捨てられるかもしれない」という危機感を抱かせ、今回の大規模な奇襲攻撃を誘発したことが指摘されています。

実際、ハマスとイスラエルとの戦闘が激化したことにより、アラブ諸国では反イスラエルの世論が強まり、サウジアラビアはイスラエルとの国交正常化協議を凍結したのでした。

三つの宗教の聖地、エルサレム

パレスチナ問題が一向に解決しないのは、エルサレムが古来ユダヤ教・キリスト教・イスラム教という三つの宗教の聖地であることも要因の一つです。

紀元前10世紀、つまり今から３０００年ほど前、エルサレムの地にはユダヤ教の神殿（第一神殿。ソロモン神殿とも呼ばれます）がありました。ユダヤ教は唯一神ヤハウェを信じる一神教です。ユダヤ教徒は自分たちユダヤ人を「神から選ばれた選民」とみなし、救世主（メシア）の到来を信じています。このユダヤ教を信仰する人とその子孫が一般的にユダヤ人と呼ばれ、イスラエル国、アメリカ、ロシアなど、世界各国に居住しています。

ところが、ユダヤ教の神殿は紀元前５８７年に破壊され、その後、再建（第二神殿。エルサレム神殿とも呼ばれます）されました。そして、今から２０００

年ほど前、イエスという名のユダヤ人がユダヤ教の改革運動を始めます。しかし、これが反逆だとして、神殿まで来たときにユダヤ人の指導者たちによってローマ帝国へ引き渡され、十字架にかけられて処刑されます。

イエスは神殿のすぐ近くに埋葬されますが、3日後に復活して天に昇ったと伝えられます。それを聞いたユダヤ人たちの中には、「イエスこそが救世主（キリスト）ではないか」と考える人たちが出てきます。イエスを救世主と信じる人たちが、キリスト教徒と呼ばれるようになったのです。

イエスの死後の紀元70年、エルサレム神殿はローマ帝国によって破壊されてしまいます。ただ、西の壁だけは残っており、「嘆きの壁」と呼ばれてユダヤ教の聖地となりました。

イエスの墓があったとされる場所には教会が建てられました。それが聖墳墓教会で、キリスト教の聖地となりました。

また、紀元570年ごろ、アラビア半島のメッカという地でムハンマドという人が生まれました。ムハンマドは40歳のころ「神の啓示を受けた」とし、

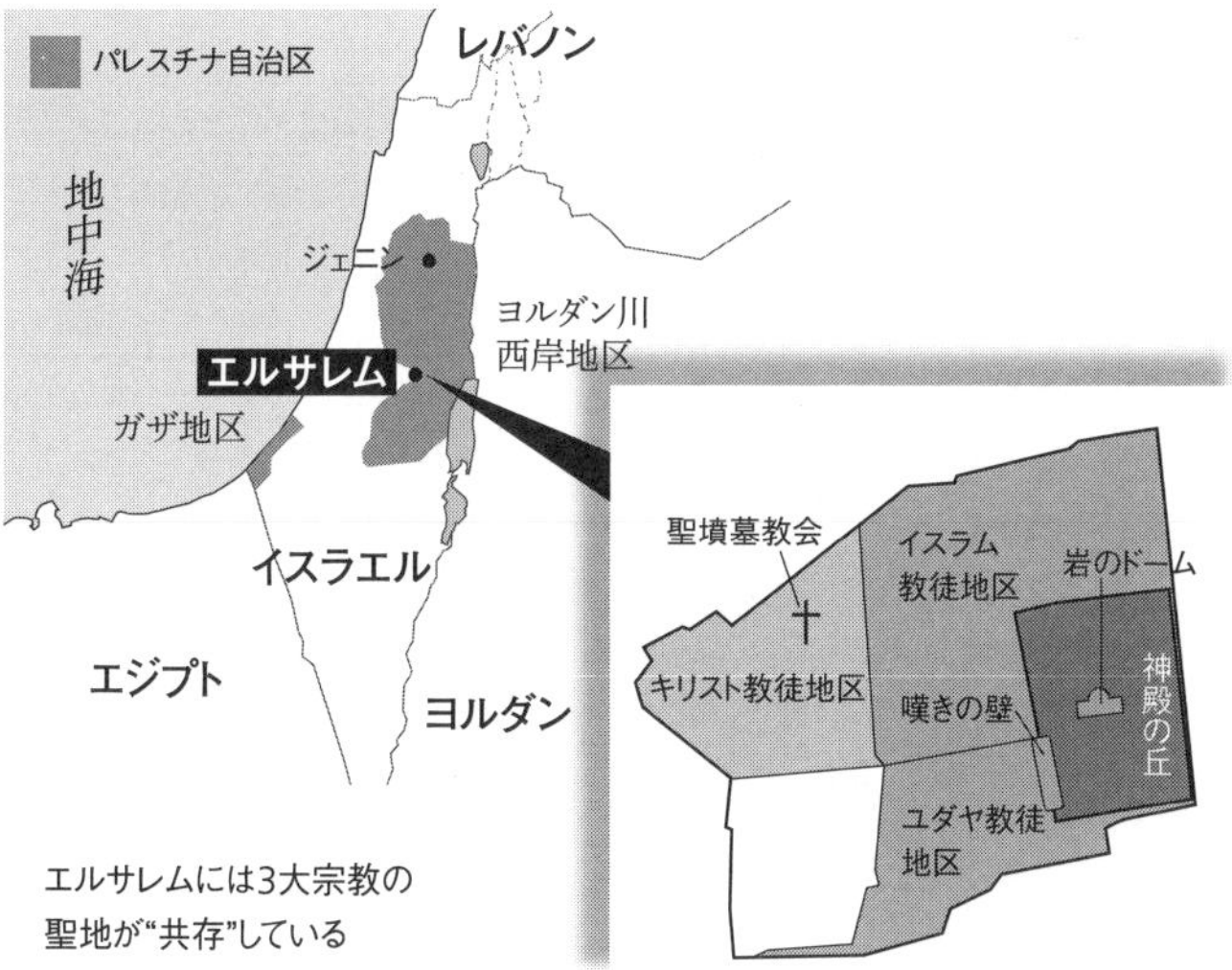

エルサレムには3大宗教の
聖地が"共存"している

「神から与えられた言葉」を説きはじめました。これがイスラム教の始まりです。

ムハンマドは人々に「ある夜、天使に連れられてエルサレムまで旅し、破壊された神殿跡の岩から天に昇り、神に会ってまた戻ってきた」と伝えました。そこで、イスラム教徒たちは、ムハンマドが天に昇った際に触ったとされる岩を風雨から守るためにドームを造ったのです。

この岩は、かつてユダヤ教の神殿があった場所にあります。これが「岩のドーム」で、イスラム教の聖地の一つ

エルサレム旧市街にあるユダヤ教聖地「嘆きの壁」。左上はイスラム教聖地「岩のドーム」＝2017年1月（共同）

となりました。つまりユダヤ教徒にとって神聖な場所がイスラム教徒にとっても神聖な場所になったのです。

こうして、エルサレムは三つの宗教の聖地となりました。元をたどれば三つの宗教は同じ神様を信じているといえるわけです。

イスラエルとパレスチナの双方の地で凄惨な攻撃にさらされた罪のない一般の人たちの様子を、現地からの報道などで見聞きするにつけて、「民族や宗教は異なれど、同じ聖地を持つ者同士として仲良くできればいいのに」と願わずにはいられません。

「アブラハム合意」がハマスによる攻撃の遠因か

イスラエル・ハマス紛争が起きた背景の一つには、「アブラハム合意」があるとされています。２０２０年8月、アラブ首長国連邦（ＵＡＥ）とイスラエルの間で、平和条約と国交正常化についての和平協定、通称「アブラハム合意」が成立しました。アブラハムとは『旧約聖書』に登場する、アラブ民族とユダヤ民族の共通の祖先とされる人物です。「同じ祖を持つ者同士、仲良くしていきましょう」というわけですね。

そして、このアラブ首長国連邦をはじめとして、イスラム教を国教とするバーレーン、スーダン、モロッコも相次いでイスラエルと国交を結びました。また、最近では、サウジアラビアもイスラエルと国交を結ぶ動きを見せていました。

左からイスラエルのネタニヤフ首相、トランプ大統領（当時）、バーレーンのアブドゥルラティーフ・ビン・ラーシド・アル・ザヤーニ外務大臣、アラブ首長国連邦（UAE）のアブダッラー・ビン・ザーイド・アール・ナヒヤーン外務大臣。米ホワイトハウスで行われたアブラハム合意の調印後、トルーマン・バルコニーから手を振る首脳たち＝2020年9月15日（CNP／DPA／共同通信イメージズ）

イスラエルという国は従来、情報・金融・経済に強みがあり、近年ではIT産業で著しく成長をしています。中東戦争の遺恨を捨ててイスラエルと国交を結び貿易を活発化させることは、アラブ諸国にとって大きな実利がありますます。

しかし、この動きをよく思わないのが長年イスラエルと敵対してきたパレスチナです。アラブ諸国のイスラエルへの歩み寄りは裏切りにほかなりません。今回のハマスによるイスラエル攻撃は、国際社会の目をパレスチナ問題に向けさせると同時に、中東情勢を不安定にしてアラブ諸国のイスラエル接近の動きを抑止することが動機なのでしょう。

実際、武装勢力ハマスとイスラエルの戦闘激化により、サウジアラビアはイスラエルとの関係正常化計画を凍結しました。したがって、ハマスの目的は部分的に達成されたといってよいでしょう。

しかし、イスラエルに住む民間人を無差別に殺したり誘拐して人質にしたりするやり方は、国際社会に理解されない非人道的なものです。そして、イスラエルによる苛烈な報復攻撃の犠牲者の大半は、非戦闘員である一般のパレスチナ市民なのです。

ヨーロッパ連合、気候変動対策でエンジン車全面禁止の方針を転換

２０２３年の夏も、北アメリカ、ヨーロッパ、アジアを猛暑が襲いました。あなたも、連日のうだるような暑さに煩わされたことでしょう。

ヨーロッパ連合（ＥＵ）の気象情報機関は、２０２３年８月の気温は、１８５０年から１９００年の平均よりおよそ１・５度高く、８月としてはこれまでで最も暑かったとしています。これは、２０１５年のパリ協定で、各国が今世紀末までに抑える努力を追求することで合意した長期目標に、すでに到達したことになります。

世界中の政策決定者や科学者が気候変動を考えるときに参照している「ＩＰＣＣ評価報告書」という資料があります。ＩＰＣＣは気候変動に関する最新の研究論文をとりまとめて評価する国連の組織で、正式名称をIntergovernmental Panel on Climate Change（気候変動に関する政府間パネル）といいます。

ＩＰＣＣは、１９８８年の設立以来、５〜７年ごとに気候変動の状態とその影響について評価報告書を発表してきました。

その評価報告書によれば、このまま地球温暖化が進行すると、世界各地で「海の水面が上がって陸地が減る」「生態系が変わって多くの動植物が絶滅する」「異常気象が頻発するようになる」「農作物の収量が減る・品質が落ちる」「感染症が増える」などの問題が起こるとされています。

世界の気温上昇を抑制し、気候変動の影響の増大を抑えるためにはどうすればよいのか。各国政府が政策を話し合うために、１９９５年から毎年開催されている会議が、国連気候変動枠組条約締約国会議、通称ＣＯＰ（Conference of the Parties）です。

２０２３年は11月30日から、アラブ首長国連邦（ＵＡＥ）のドバイのエキスポシティ（万博跡地）でＣＯＰ28が開催されました。議長国のＵＡＥは、日本

アラブ首長国連邦のドバイで開催された国連気候変動枠組条約第28回締約国会議（COP28）の開会式＝2023年11月30日（新華社／共同通信イメージズ）

を含む有志国１１８カ国が世界全体の再生可能エネルギーの発電容量を２０３０年までに3倍に引き上げることを誓約したと発表しました。

地球温暖化の最大の原因は、人間の活動によって発生する二酸化炭素やメタンガスなどの温室効果ガスです。ＣＯＰでは、この温室効果ガス排出量をいかにして減らすかが大きな議題となります。

人間が排出する温室効果ガスの中で特に割合が大きい二酸化炭素は、主に石炭や石油、天然ガスといった化石燃料を燃焼させることで発生しています。

イギリス・ロンドンにあるJPモルガンのオフィス前での抗議デモ＝2023年10月19日（Vuk Valcic／SOPA Images via ZUMA Press Wire／共同通信イメージズ）

先進諸国の中でも気候変動対策に力を入れるＥＵは、２０１９年、この化石燃料からの脱却政策を柱に据えた「欧州グリーンディール」という方針を打ち出しました。これには、「２０５０年までにヨーロッパ大陸における温室効果ガスの排出量を実質ゼロにする」という野心的な目標が含まれていました。

しかし、ヨーロッパでは２０２１年夏以降に天然ガスの価格が急激に高騰。加えて翌２０２２年には、ＥＵへの天然ガスの最大の輸出元であるロシアによるウクライナへの軍事侵攻が発生したことにより、ＥＵは一夜にしてロシア産エネルギーの供給が途絶える危機に直面しました。

先に述べたように、近年、気候変動対策を最優先課題に掲げてきたＥＵは、化石エネルギーの開発にさまざまな制約をつける一方で、太陽光や風力などに代表される再生可能エネルギーや二酸化炭素を排出しない電気自動車（ＥＶ）などの開発に多額の補助金を出してきました。

しかし、現実的なエネルギー危機に直面して、ロシア産に代わる化石燃料、すなわち石油や天然ガス、場合によっては石炭をも確保するための国際的な資金が、ヨーロッパで再び大きく動き出しています。

また、ヨーロッパが世界に先駆けて進めてきた「ＥＶシフト」の政策も、２０２３年に入ってから大きく転換しています。

ＥＵは同年3月に、２０３５年を予定していたエンジン車販売禁止を緩和し、環境によい合成燃料を使うエンジン車を容認することにしました。

２０２０年にＥＵを離脱したイギリスも２０２３年9月には、２０３０年としてきたガソリン車とディーゼル車の新車販売の禁止を、２０３５年に先送りすることを決定しています。温暖化対策は足踏み状態です。

column

日本がCOPで「化石賞」を連続受賞

COPの会期中、国際環境NGOの気候行動ネットワーク（CAN：Climate Action Network）が選出している「化石賞（fossil award）」というものがあります。気候変動対策に後ろ向きな国を選ぶもので、各国の政策や発言内容などをもとに1位から3位までの国が、会期中ほぼ毎日表彰され、最終的にその年の「化石大賞」が選出されます。日本はこの不名誉な「化石賞」を、2019年のCOP25、2021年のCOP26、2022年のCOP27、そして2023年のCOP28の4回連続で受賞しています（新型コロナウイルス感染症流行の影響で2020年開催は延期されました）。しかもCOP27とCOP28では、「本日の化石賞」のトップバッターまで飾る始末です。

CANによれば、COP25では梶山弘志経済産業大臣（当時）の「石炭火力発電所は選択肢として残していきたい」という発言。COP26では石炭火力発電所を段階的に廃止する40カ国以上が賛同した声明に日本が加わらなかったこと。COP27では日本が2019年から2021年に年間平均106億ドル（およそ1兆5900億円）の公的資金を化石燃料関連事業に拠出したことや、岸田文雄首相がCOPに不参加だったことなど。COP28では石炭火力発電などを重視しているにもかかわらず、岸田首相が首脳級会合で「世界の脱炭素化に貢献する」と演説したことが受賞理由とのことです。国内には「資源に乏しく原発の再稼働もままならない日本が、火力発電所を選択肢として残すのは仕方がない」という意見もあります。しかし、不名誉な賞の連続受賞を「仕方がない」で済まさず、国のエネルギー政策について考え、知恵を絞るよい機会とすべきでしょう。

アラブ首長国連邦のドバイで開催されたCOP28で、岸田首相の首脳級会合での発言に基づき、日本が「化石賞」に選ばれた授賞イベント＝2023年12月3日（共同）

存在感を増すグローバルサウス

２０２３年5月19日から21日にかけて、日本が議長国となった主要国首脳会議（G7サミット）が広島市で開催されました。

このサミットには、G7（アメリカ、イギリス、フランス、ドイツ、日本、イタリア、カナダ）およびEUによる会合に加え、招待国としてオーストラリア、韓国、インド、インドネシア、ベトナム、ブラジル、アフリカ連合（AU）の議長国であるコモロ、太平洋諸島フォーラムの議長国であるクック諸島の8カ国も、一部の議論に参加しました。そして、ロシアから侵攻されている最中にあるウクライナのゼレンスキー大統領も直接参加したことが、国際的に大きな注目を集めました。

招待された8カ国のうち、オーストラリアと韓国を除いた6カ国は、「グロ

G7サミットの招待国、招待国際機関の首脳らが広島市の平和記念公園を訪れ、広島平和記念資料館を見学後、原爆慰霊碑に献花した＝2023年5月21日（POOL／ZUMA Press Wire／共同通信イメージズ）

ーバルサウス」と呼称される新興国と途上国です。

グローバルサウスとは何でしょうか？　近年よく聞くようになったこの言葉の意味を、ここで押さえておきましょう。

世界地図を見ると、北半球には、アメリカ、ヨーロッパ、日本など、経済が発展した先進国が多くあり、一方で赤道付近やそれ以南には、経済が立ち遅れた発展途上国が多くあることがわかります。

このような地域による世界レベルの経済格差を「南北問題」といいます。

G7広島サミットの招待国首脳らを交えた会合に臨むインドのナレンドラ・モディ首相（左）とウクライナのゼレンスキー大統領＝2023年5月21日（代表撮影・共同）

ところで、世界には別の分け方もあります。第一・第二・第三世界という分類です。

第二次世界大戦後、世界では東西対立が激化しました。資本主義経済を採用したアメリカと西ヨーロッパ諸国は、経済を大きく発展させ、「第一世界」と呼ばれました。

これに対し、社会主義経済を採用した旧ソ連（現ロシア）や東ヨーロッパ諸国は、「第二世界」と呼ばれました。

そして、東西陣営のどちらにも所属せず、独自のグループをつくったインドやインドネシアなどは、「第三世界」

と呼ばれました。

これら第三世界の国々は、南北問題における「南の国」とほぼ重なりました。つまり、「貧しい国」とされていたのですね。

しかし、近年、これら第三世界に属する国々の経済が著しく発展し、世界のＧＤＰのおよそ40パーセントを占めるまでになりました。そして、グローバル社会で大きな影響力を持つようになったのです。その結果、「グローバルサウス」という呼び方が生まれました。「グローバル（地球規模）に影響力を持つ南の国」という意味です。

このグローバルサウスが経済的に躍進する一方で、Ｇ７の世界に占めるＧＤＰの割合は東西冷戦終結時の70パーセントから40パーセントにまで低下してきました。２０３０年には新興７カ国に逆転されると予測されています。

つまり、今や国際社会における諸問題の解決には、グローバルサウスの国々の協力が欠かせなくなってきているのです。

そんなときに起きたのが、２０２２年２月のロシアによるウクライナ侵攻

G7

フランス
アメリカ
イギリス
ドイツ
日本
イタリア
カナダ

G20

オーストラリア
メキシコ
韓国
ロシア
トルコ

おもなグローバルサウスの国々

アルゼンチン
ブラジル
中国
インド
インドネシア
サウジアラビア
南アフリカ

アジア
北朝鮮　マレーシア
モンゴル　パキスタン
フィリピン　タイ

太平洋
フィジー　サモア

中東・アフリカ
エジプト　エチオピア
イラン　イラク
ケニア　リビア
ナイジェリア
アラブ首長国連邦

中・南アフリカ
チリ　キューバ
ペルー　ウルグアイ

ヨーロッパ
ボスニア・ヘルツェゴビナ

です。国連総会において圧倒的多数の国の賛成によってロシアに対する非難決議が採択され、経済制裁が始まったことは、第2章で述べたとおりです。

ところが、グローバルサウスの中には、非難決議を棄権したり賛成しながらも経済制裁には加わらなかったりした国も多くありました。それらは主にロシアから石油や天然ガス、武器などを購入している国々です。自国第一主義の考え方をとっており、ロシアとの関係を悪くしたくないのですね。

一方、「北の国」である先進諸国は、ロシアに厳しく対応しています。そして、戦争を早く終わらせるために、東西のどちらの陣営にも属しないグローバルサウスの国々をどうすれば味方に引き込めるかを考えています。

この流れは、ロシアのウクライナ侵攻の問題にかぎった話ではありません。冷戦は終わったとされていますが、東西の対立は今なお続いています。アメリカ、ロシア、そして中国も、影響力の強くなったグローバルサウスの国々と積極的に関係を持ち、自分たちの陣営に引き入れようと必死です。

そんな世界の潮流の中で、当のグローバルサウスの国々は、自陣に取り込もうとする欧米・ロシア・中国とうまく駆け引きしながら、自国の利益を最大にしようとしているのです。

ちなみに、グローバルサウスという呼称は、「先進国である『北の国』を基準としており上から目線だ」という批判もあり、G7広島サミットでは使われていません。

第5章

課題が山積みの日本

日本が世界に存在感を示したG7広島サミット

２０２３年5月19日から21日にかけて、日本が議長国となった主要国首脳会議（G7サミット）が広島市で開催されました。アメリカ、イギリス、フランス、ドイツ、日本、イタリア、カナダ、ヨーロッパ連合（EU）に加え、インド、ブラジル、オーストラリア、韓国、インドネシア、ベトナムなどグローバルサウスの国々の首相も招かれ、サプライズでウクライナのゼレンスキー大統領も登場したのは、第4章で述べたとおりです。

ここで、サミットの歴史をおさらいしておきましょう。

サミットとは、英語で「山の頂上」を意味します。世界の首脳たちによるトップ会談が行われるので、この愛称で呼ばれるようになりました。G7とは、Group of Seven の略称。7カ国の首脳が参加することを意味します。会談に

G7広島サミットで記念写真に納まる（左4人目から）バイデン米大統領、岸田首相、ウクライナのゼレンスキー大統領ら各国首脳＝2023年5月21日（代表撮影・共同）

は、国家ではないＥＵの首脳も加わります。

サミットが初めて開催されたのは、１９７５年のことでした。１９７３年の第１次石油危機などの諸問題に直面し、世界経済は大打撃を受けていました。フランスのヴァレリー・ジスカールデスタン大統領（当時）が、「世界の先進国の首脳が集まって対策を考えよう」と呼びかけて、始まったのです。

当初は、フランスのほか、イギリス、アメリカ、西ドイツ、日本の５カ国が集まる予定でした。しかし、開催を知ったイタリアのアルド・モロ首相（当時）が、「自分も入れろ」と押しかけてきたそうで、6カ国でのスタートとなりました。

このとき日本から参加したのは、三木武夫総理大臣です。私もよく覚えていますが、当時の日本では「先進国の集まりに日本も呼ばれた。日本が先進国の仲間入りをしたことを、国際社会が認めてくれたのだ」と大いに盛り上がったものです。

会議はその後、各国の持ち回りで毎年開かれるようになり、翌年からはカナダも参加するようになってG7となりました。一時はロシアも参加していましたが、2014年にロシアがウクライナ南部のクリミア半島を占領したため（クリミア併合）、その後はロシア抜きで開催されています。

日本で最初にサミットが開かれたのは、1979年のことです。東京で開催され、ホスト役は大平正芳総理大臣でした。続いて1986年も東京で開催され、中曽根康弘総理大臣が会議の議長を務めました。

このころは西ドイツが参加していましたが、冷戦が終わって1990年に東西ドイツが統一したことで、1991年からは統一ドイツが参加しています。ソビエト連邦の崩壊から2年後の1993年、東京で3回目のサミットが行われました。議長は宮澤喜一総理大臣が務めました。サミット終了後に「G7＋1会議」が開かれ、ロシアのボリス・エリツィン大統領が出席しました。

2000年は小渕恵三総理大臣の希望で、沖縄県の名護市が会場となりました。しかし、開催前に小渕氏が急死し、後任の森喜朗総理大臣が議長を務めました。

次に日本でサミットが開かれたのは2008年。北海道の洞爺湖《とうやこ》が会場となりました。洞爺湖を会場に決めたのは安倍晋三総理大臣でしたが、開催までに体調不良で退陣したため、後任の福田康夫総理大臣が議長を務めました。そして、再び総理大臣となった安倍氏は、2016年の伊勢志摩（三重県）サミットを開きました。

2023年の会場は広島でした。ウクライナに侵攻したロシアが核兵器使用の脅しを続ける中、被爆地・広島での開催となったのです。

広島市の平和記念公園で原爆慰霊碑に献花する岸田文雄首相(左から8人目)と招待国首脳、国際機関の長ら＝2023年5月21日(外務省提供)

この広島でのG7サミットは、議長国日本の下で、ウクライナ支援やロシアに対抗して強い姿勢での結束、そして当然、核の脅威についての議論が行われました。

ゼレンスキー大統領が参加してウクライナ支援についても話し合われたことは、プラス効果もあった半面、広島の人々には「戦争協力についてここで話し合うのか」という複雑な思いもあったといいます。

それでもサミットの中で、広島に核を落とした国であるアメリカのバイデン大統領、同じく核保有国であるイギリスのリシ・スナク首相、フランスのエマニュエル・マクロン大統領らを含めた７カ国の首脳が、被爆の悲惨さを展示した平和記念資料館を見学し、原爆死没者慰霊碑に花を捧げる姿が世界に発信されたことは、非常に意義深いことでした。

ゼレンスキー氏もサミット閉幕後に平和記念公園を訪れ、平和記念資料館を見学し、原爆死没者慰霊碑に献花しました。

各国の首脳たちに広島の地で被爆の悲惨さを実感してもらったことで、日本はホスト国として久々に国際社会における存在感を示したといえます。

自信満々に知ったかぶりをするチャットGPT

2023年、デジタル技術に関する領域は、なんといってもチャットGPTに代表される生成AIの話題で持ちきりでした。あなたも繰り返しニュースで目にしたことでしょう。

生成AIというのは、簡単にいえば、「テキスト、画像、音声、音楽、動画などさまざまなコンテンツを生成する学習能力を持った人工知能」です。単純に何かを作成できるだけでなく、パターンや関係を学習する能力を備えていることがポイントです。

生成AIは以前から研究されてきましたが、ここにきて、AIの学習量が飛躍的に向上し、回答の精度が劇的に向上しました。また、処理速度も上がりました。たとえばチャットGPTに質問を投げかけると、まるで人間を相手にしているかのように、入力した条件に対する回答や画像などが瞬時に得られます。

生成AIによって出力される内容は、今やビジネスなどで活用できる精度にまで向上しています。ただし、生成AIが作成する文章や画像等は、個人情報や著作権を侵害する恐れや、偽情報を拡散する懸念が指摘されています。

「チャットGPT」を開発した米新興企業「オープンAI」のサム・アルトマン最高経営責任者（CEO）が来日し、慶應義塾大学三田キャンパスで学生との交流会に参加＝2023年6月12日（毎日新聞・和田大典撮影）

私もチャットGPTが登場してすぐに、試しに「池上彰は何者なのか」という質問を投げかけてみました。

本書の執筆時に改めて質問し、チャットGPTが数秒で出してきた回答が以下です。

＊＊＊

「池上彰」という人物について解説してください。

池上彰（いけがみあきら）は、日本のジャーナリスト、作家、テレビパーソナリティであり、歴史や政治に関する解説を得意とする知識豊富な人物です。

以下は彼の主な経歴や活動の一部です：

1. 経歴＝池上彰は１９５６年生まれで、東京都出身です。早稲田大学政治経済学部を卒業し、大学在学中には新聞記者として活動しました。
2. ジャーナリズム活動＝池上彰は主にテレビジャーナリストとして知られており、政治や歴史について幅広い知識を持っています。彼の解説は分かりやすく、幅広い視野からの情報を提供するスタイルが特徴的です。
3. テレビ出演＝彼はテレビ番組に頻繁に出演し、政治の解説や歴史の紹介を行っています。特に、NHKの番組などで幅広いテーマについて解説する姿がよく知られています。

4. 著作活動＝池上彰は著書も多く、主に歴史や政治に関する書籍を執筆しています。彼の著書は一般読者からの評価が高く、広く読まれています。

5. 教育活動＝彼は講演活動も行い、大学などで講義を行うこともあります。特に歴史や政治に興味を持つ学生たちにとって、彼の講義は有益であるとされています。

6. メディア露出＝池上彰はテレビ以外にも、ラジオやインターネットなど、さまざまなメディアで活躍しています。彼の解説は政治的中立性を保ちつつも、分かりやすい言葉で伝えるスタイルが評価されています。

総じて、池上彰は日本の歴史や政治について幅広い知識を持ち、それを分かりやすく伝える才能を持ったジャーナリストであり、教育者であると言えます。

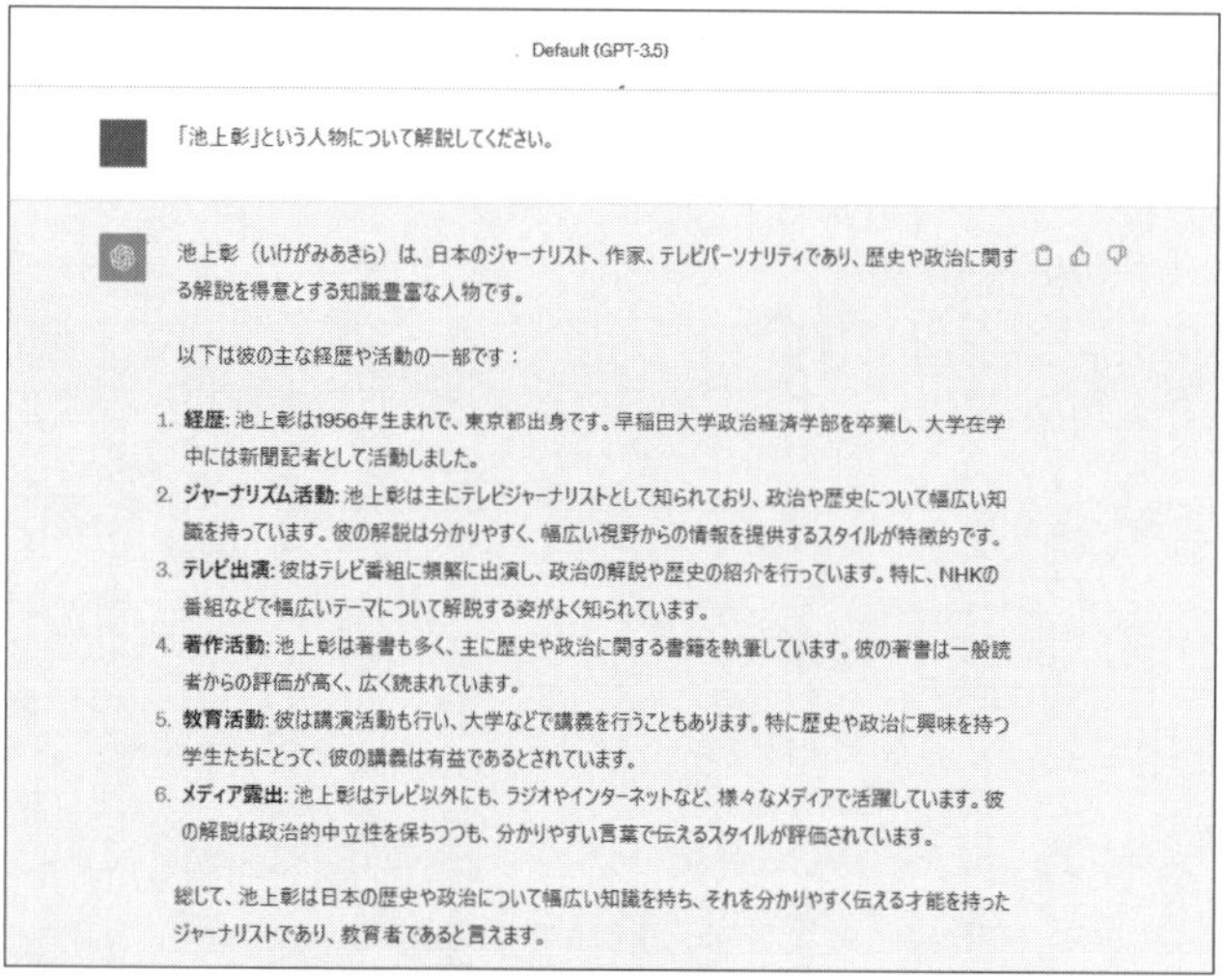
Default (GPT-3.5)

「池上彰」という人物について解説してください。

池上彰（いけがみあきら）は、日本のジャーナリスト、作家、テレビパーソナリティであり、歴史や政治に関する解説を得意とする知識豊富な人物です。

以下は彼の主な経歴や活動の一部です：

1. **経歴:** 池上彰は1956年生まれで、東京都出身です。早稲田大学政治経済学部を卒業し、大学在学中には新聞記者として活動しました。
2. **ジャーナリズム活動:** 池上彰は主にテレビジャーナリストとして知られており、政治や歴史について幅広い知識を持っています。彼の解説は分かりやすく、幅広い視野からの情報を提供するスタイルが特徴的です。
3. **テレビ出演:** 彼はテレビ番組に頻繁に出演し、政治の解説や歴史の紹介を行っています。特に、NHKの番組などで幅広いテーマについて解説する姿がよく知られています。
4. **著作活動:** 池上彰は著書も多く、主に歴史や政治に関する書籍を執筆しています。彼の著書は一般読者からの評価が高く、広く読まれています。
5. **教育活動:** 彼は講演活動も行い、大学などで講義を行うこともあります。特に歴史や政治に興味を持つ学生たちにとって、彼の講義は有益であるとされています。
6. **メディア露出:** 池上彰はテレビ以外にも、ラジオやインターネットなど、様々なメディアで活躍しています。彼の解説は政治的中立性を保ちつつも、分かりやすい言葉で伝えるスタイルが評価されています。

総じて、池上彰は日本の歴史や政治について幅広い知識を持ち、それを分かりやすく伝える才能を持ったジャーナリストであり、教育者であると言えます。

「池上彰」という人物について解説してください
※ChatGPT3.5を使用（2023/10/31）

＊＊＊

まるで人間が書いたかのような文章ですが、実はこの回答にはずいぶんとおかしなことが書いてあるのです。

私が生まれたのは1950年ですし、出身は長野県松本市です。卒業した学校は慶應義塾大学の経済学部です。大学在学中に新聞記者だったことはありません。卒業後は、新聞記者ではなくNHKに記者として入局しました。

このように、現在のチャットGPTが出力する回答には誤情報も多いのです。日常生活でときどき見かける「自信満々に知ったかぶりをする人」のようなものですね。

ただしチャットＧＰＴはＡＩですから、どんなことを聞かれても、どれだけの質問をされても、嫌な顔ひとつせず瞬時に答えてくれます。

この回答を読むかぎり、まだまだチャットＧＰＴの完成度は高くないと感じます。ただ、情報通信技術の進化の速さは、「ドッグイヤー（成長の早いイヌの１年は、ヒトの７年に相当すること）」などといわれますから、何年もしないうちに実用レベルになるでしょう。

Ｇ７広島サミットでは、議長国の日本がＡＩについての新たな枠組み「広島ＡＩプロセス」を提案し、チャットＧＰＴに代表される生成ＡＩについて、２０２３年内に国際的な取り扱いのルールをまとめるという目標が定められました。

ＡＩについては既存の法制度の適用があいまいな領域が存在しており、国際的なルールのアップデートが必要ということです。おもな開発元であるアメリカと、著作権などをふまえ利用に慎重なヨーロッパ連合（ＥＵ）を、議長国としてどうまとめていくか。日本がＡＩに関する世界的な議論を主導できるかどうかが今、問われています。

政治と宗教——旧統一教会問題、解散命令請求で判断は司法の場へ

２０２３年10月13日、世界平和統一家庭連合（旧統一教会）をめぐる問題で、政府は教団の行為は宗教法人法で定めた解散命令の事由にある「法令に違反して、著しく公共の福祉を害すると明らかに認められる行為」や「宗教団体の目的を著しく逸脱した行為」に該当するとして、東京地方裁判所に教団の解散命令を請求しました。

政府は、２０２２年7月に起きた安倍晋三元総理大臣銃撃事件を受けて行った調査の結果、「解散命令請求の要件とされている組織性、悪質性、継続性を裏付ける客観的な証拠がそろった」としています。

安倍元総理大臣銃撃事件で逮捕・起訴された山上徹也被告は、母親が多額の献金をしていた旧統一教会に恨みを募らせ、団体と近しい関係にあると思

った自民党の安倍元総理大臣を狙ったと証言していました。

仮に宗教法人としての世界平和統一家庭連合に解散命令が出れば、日本ではオウム真理教、明覚寺に続き3例目となります。

宗教法人の「法人」とは、「法律の上で人間と同じに扱う」という意味です。たとえば、私立学校は「学校法人」といいます。学校の敷地や建物が個人の所有物だった場合、その持ち主が亡くなったり学校経営をやめてしまったりすれば、学校がなくなる可能性があります。そのようなことを防ぐために、学校を人間のように扱い「学校が建物を管理している」という状況にしているのですね。

これなら仮に経営者が亡くなったり学校経営から退いたりしても、後継者がいれば学校は存続できます。宗教法人もこれと同じ仕組みで成り立っています。

日本では第二次世界大戦の前から全国民に「国家神道」の信仰を強制し、宗教団体を自由につくることができませんでした。それどころか、国家神道の信仰を拒んだキリスト教徒や仏教徒などほかの宗教の信徒は逮捕され、獄中で亡くなる人もいたのです。

このような過去の反省から、戦後、日本では「宗教団体をつくりたい」と届け出れば、これを認めるようになりました。そして、団体がすでに存在しており少なくとも3年以上の活動実績があること、教義を広めて儀式行事を行っていること、信者を教化・育成していること、祈りの場を有していることなどの条件を満たせば、宗教法人として管轄の行政庁（都道府県知事または文部科学大臣）の認証を受けることができます。

宗教法人として活動するには資金が必要です。そのため、多くの宗教では信者から寄付を集めることが一般的で、宗教活動で得た寄付やお布施などについては、国に税金を納めなくてよいというルールになっています。

大きな問題となった世界平和統一家庭連合は、2015年まで「世界基督教統一神霊協会」（統一教会）という名称で活動していました。旧名にあるとおり「キリスト教」を自称する宗教団体ですが、ほかの多くのキリスト教徒からは、教義の内容がキリスト教のそれとはかけ離れているとして、キリスト教の一派であるとは認められていません。

旧統一教会も宗教法人として認可されていますが、実は別の顔も持っています。それが「国際勝共連合《しょうきょう》」という政治団体です。こちらは「共産主義に打ち勝たねばならない」と主張し、同じような考えを持つ自民党の議員に接触し、選挙協力などを通じて自分たちの考えを自民党の中に広げようとしていました。

旧統一教会は、1960年代より日本国内でさまざまな問題を引き起こしていました。有名なのは、一般家庭を訪問して「先祖を大事にしていないので、悪霊がとりついている」と不安をあおり、高額な壺や印鑑などを売りつける「霊感商法」です。

ほかにも信者に高額な献金をさせて家庭生活を追い詰めたり、教義のために信者同士の合同結婚式や養子縁組を行ったりして、民事での不法行為責任の事実認定をされています。

東京都渋谷区の教団本部で記者会見する世界平和統一家庭連合（旧統一教会）の田中会長（左）と勅使河原改革推進本部長＝2023年11月7日（共同）

　現在、大勢の被害者を助けるために被害者弁護団が活動しています。宗教活動は自由に認めるべきですが、人をだましたり、多額の寄付を強いて信者を不幸にしたりするような宗教は問題です。

　世界平和統一家庭連合は２０２３年11月７日、政府の解散命令請求を受け、東京都内の教団本部で記者会見を開きました。日本法人トップの田中富広会長と勅使河原《てしがわら》秀行改革推進本部長が登壇し、被害補償のため最大１００億円の供託金を国に預ける考えなどを説明しました。

元総理大臣が銃殺されるという大事件が起きたことで、長らく社会的な問題を起こしてきた旧統一教会にようやく解散命令請求が出されました。しかし、宗教団体の活動をどこまで認めるべきかや政治と宗教の関わりなど、さまざまな論点でさらなる議論をする必要があります。

column

クローズアップされた「宗教2世」問題

2022年7月に起きた安倍晋三元総理大臣銃撃事件以降、「宗教2世」という言葉をよく聞くようになりました。特定の宗教を信仰する親や家庭の下で生まれ、本人も幼いころからその宗教に入信させられている人々のことを指す言葉です。

宗教2世の中には、親が宗教団体に多額の献金をして経済的に困窮したり、育児放棄されたり、カルト的な教団の非常識な教義を押しつけられて苦しんだりしている人が多くいるとされています。

安倍元総理大臣に対する殺人罪などで起訴された山上徹也被告は、世界平和統一家庭連合の信者である母親が教団に多額の献金を続けたことなどで家庭が崩壊したと報じられています。どんな理由があろう

国会の参議院消費者問題特別委員会で参考人として出席し、質問に答えるため挙手する元2世信者の小川さゆりさん（活動名）＝2022年12月9日（毎日新聞・竹内幹撮影）

とも、山上被告が暴力に訴えたことは決して許されるものではありません。ですが、事件報道をきっかけに、同じような境遇で苦しんでいた「宗教2世」の存在が広く社会に知られるようになったのです。

安倍元総理大臣の殺害事件から5カ月後の2022年12月10日、被害者救済を図るための新法が成立しました。通常であれば成立まで年単位の時間がかかる法律ですが、問題の大きさを受けて与野党が協力し、スピード成立となりました。

旧統一教会・元2世信者の小川さゆりさん（活動名）は、新法の早期成立を求め、被害者として与野党双方のヒアリングに応じてきました。顔を隠さず、政治が動く前から社会に被害を訴え続けてきた小川さんには、多くの嫌がらせや攻撃があったと聞いています。新法成立後の会見で、彼女が涙を流しながら喜ぶ姿は、多くの人の胸を打ちました。

旧ジャニーズ事務所の性加害問題は、なぜ見過ごされてきたのか

旧統一教会の問題と同様に日本のメディアとジャーナリズムが長く見過ごしてきたのが、芸能プロダクション「ジャニーズ事務所（当時）」の創業者・ジャニー喜多川氏（２０１９年に87歳で死去）による性加害問題です。

これは、１９７０年代前半から２０１０年代半ばまで40年にわたり、ジャニー喜多川氏がジャニーズJr.（現在は「ジュニア」）という芸能界デビュー前の少年たちや所属タレントに対して性加害を繰り返していたとされる問題です。少なく見積もっても数百人の被害者がいるといわれています。

この問題について私自身の正直な告白をすれば、「そのようなことがあるらしい」という話は週刊誌報道で知ってはいました。しかし、「週刊誌が伝える芸能界のスキャンダル」という受け止め方をしていて、「男性が性被害を受け

ている」ということを深く考えられてはいませんでした。ジャーナリストの看板を掲げている者として、そのことを深く反省しています。改めて考えてみれば、海外では世界各国のカトリック教会の聖職者による少年への大規模な性的虐待が明らかになり、何年も前からしきりに報道されていたのです。

にもかかわらず、私は「一般的に、性暴力の被害に遭うのは女性、あるいは小さな女の子である」という固定観念にとらわれていました。性被害は男女を問わず起こるという知見はあったのに、海外のニュースをどこか遠くの出来事のように受け止めてしまっていたのです。

問題が大きくなった後、同事務所は２回の会見を開き、社名を「SMILE-UP.（スマイルアップ）」に変更することや、被害者への補償を行うことなどについて説明しました。

しかし、問題の全貌はいまだ解明されていません。また、会見の運営を担当したコンサルティング会社が特定の記者らに質問させない「指名ＮＧリスト」などを作成していたことも判明しています。これらは批判されるべきこ

旧ジャニーズ事務所（現SMILE-UP.）のジャニー喜多川元社長による性加害問題で、東京都千代田区のホテルで記者会見に臨む（左から）井ノ原快彦氏、東山紀之社長、藤島ジュリー景子前社長＝2023年9月7日（共同）

とで、事務所には引き続き過去と真摯《しんし》に向き合うことが求められます。

２０２３年７月24日から来日し、元所属タレントと事務所の代表者に対する聞き取り調査を行った国連人権理事会「ビジネスと人権」作業部会の専門家は、「日本のメディア、企業は数十年にわたりこの不祥事のもみ消しに加担した」と指摘しています。

つまり、この問題の背景には、日本のマスメディアの不作為（積極的な行為をしないこと）もあったということです。マスメディアの人間として、私も重く受け止めなくてはなりません。

東京都千代田区の日本記者クラブで記者会見する国連「ビジネスと人権」作業部会のピチャモン・イエオパントン氏（左）とダミロラ・オラウィ氏＝2023年8月4日（毎日新聞・幾島健太郎撮影）

日本社会全体で、人権に対する意識が低かったのも事実でしょう。被害者の救済と補償を進めることと並行して、私たちは社会に再発防止の仕組みをつくっていかねばなりません。

たとえば、男性被害者に特化したホットラインなどは直ちに整備すべきです。性被害は非常にデリケートで打ち明けにくい話です。しかし、被害に遭った人が悪いわけではありません。ですから、被害に遭った人が声を上げやすい、あるいは相談しやすい環境をつくる。そして、私たち自身が固定観念にとらわれないよう認識を改めることも必要でしょう。芸能界における性加害にかぎらず、日本社会全体に人権侵害全般を許さない仕組みや意識を根づかせていかなくてはなりません。

２０２３年12月１日、旧ジャニーズ事務所から社名変更した「SMILE-UP.」は、創業者の故ジャニー喜多川元社長の性加害問題を巡り、被害を申告した23人に対して11月30日までに補償金の支払いを完了したと発表しました。同社が設置した被害者救済委員会によると、被害を申告し補償を求めているのは８３４人（同年11月20日時点）で、個別の聞き取りなどを順次、行っているとのことです。同社は、「弊社は今後も定期的に被害補償や再発防止策の進捗状況等をご報告し、皆さまのご理解を得る努力を全社一丸となって続けてまいります」としています。

同社は12月８日、旧ジャニーズ事務所所属タレントのエージェント業務を担う新会社名が「STARTO ENTERTAINMENT（スタートエンターテイメント）」に決まったと発表。最高経営責任者（ＣＥＯ）にはコンサルティング会社社長の福田淳氏が就任しました。

「安い」日本――なぜ円安になるのか

２０２３年4月29日、日本政府は新型コロナウイルス感染症対策のために行っていた、外国人観光客の入国制限を解除しました。全国各地の観光地には、外国人観光客が大勢訪れています。いわゆる「インバウンド」ですね。

外国人観光客の増加に一役買っているのが円安です。

円安・円高という言葉について、改めておさらいをしておきましょう。

たとえば、１ドルが日本円で１００円から１５０円になると、これは「円安」です。逆に１ドルが日本円で１５０円から１００円になれば「円高」。

１ドルが日本円で１００円のとき、１ドルのチョコレートを買うには１００円を払えばよいのですが、１ドルが１５０円になれば、１５０円を出さなければチョコレートは買えません。つまり、円の価値が下がったことをもって「円安」というのです。その逆が「円高」です。

ただし、いくらなら円安でいくらなら円高という決まりはありません。ある時点より円の価値が下がれば、「円安」といいます。

外国人観光客にとって円安は恩恵です。1ドルが日本円で100円のときに、100ドルを円に両替すると1万円になりますが、1ドルが150円なら1万5000円になります。日本で5000円も余分に買い物ができるのです。

海外企業と貿易取り引きを行うとき、世界の国々は主にドルで支払いをしています。日本企業がアメリカから商品を買うときにドルで支払うのはもとより、中東の国から石油を買うときにも日本企業はドルで支払いをしています。アメリカ経済が強く、世界の誰もがドルの存在を知っていて貨幣価値を信用しているので、世界中の貿易で支払いにはドルが使われます。そのため、ドルは「世界の基軸通貨」とも呼ばれています。

世界各国のお金は、「1ドルいくら」で表現されます。この価値は需要と供給の関係で変動します。

現在、日本経済はしばしば「失われた30年」などといわれるように、長く低迷しています。そのため、中央銀行である日本銀行は、金利を限りなくゼロ近くに誘導する金融緩和政策をとっています。

金利がほぼゼロであれば、企業が銀行からお金を借りやすくなります。その借りたお金で設備投資をしたり社員を新たに雇ったりすれば、景気がよくなるだろうと考えているのですね。

一方、アメリカ経済は継続的に強く、高い商品でもよく売れていました。そんなときに起きたのが、新型コロナウイルスのパンデミックとロシアのウクライナ侵攻です。

感染症を予防するための巣ごもりによって、人々の消費はサービスから物にシフトしました。また、戦争によってサプライチェーンが破壊され、物不足が起きました。コロナ禍では自主退職者も増加し、働き手の不足も起きました。結果、アメリカは現在、激しい物価高（インフレ）に陥っています。

行き過ぎたインフレを抑制するために、アメリカでは中央銀行にあたる米連邦準備制度理事会（FRB：Federal Reserve Board）が、金利を高くして企業が銀行からお金を借りにくくし、景気が過熱しないようにしています。

結果として、日本で銀行にお金を預けていても利子はほとんどつきませんが、アメリカでは5パーセント以上の利子がつきます（2023年11月末時点）。

このような状況下で、円をドルに替えてアメリカの銀行に預けようと考える人が増えるのは当然です。「円売りドル買い」ですね。ドルの人気が高まるのと対照的に円の人気は急落しているため、円安が進んでいるのです。

海外からの観光客は「何でも安い」と喜んでいますが、日本に住む人々にしてみれば円安の影響で国際的に貧しくなっているといえます。たとえば、大学では学生に海外留学をすすめにくくなっています。

円安の傾向は、FRBがインフレ抑制を確認して金利を据え置くもしくは利下げに転じるか、日銀がゼロ金利政策を転換するまで続くだろうと予想されています。2024年以降、日銀が金融緩和政策をどのように終わらせるかに注目しておきましょう。

福島第1原発処理水の海洋放出、国内外の反応は？

２０２３年8月から、政府の方針に基づき東京電力は福島第１原子力発電所にたまったトリチウムなどの放射性廃棄物を含む「処理水」の海への放出を始めました。

２０２３年度は現在１０００基余りあるタンクの40基分、およそ３万１２００トンを4回に分けて放出する計画です。１回あたりの処理水の放出量は、タンク10基分のおよそ７８００トン。私が本書を執筆している12月上旬までに、すでに3回の海への放出が完了しています。

原発から3キロメートル以内の10地点で毎日行われている海水中トリチウム濃度の分析では、海水１リットルあたり22ベクレルが検出されたのが最大で（２０２３年10月21日測定結果）、放出の停止を判断するレベルとされる７０

福島県浪江町の請戸漁港（手前）。奥は処理水の海洋放出が決まった東京電力福島第1原発＝2023年8月22日（毎日新聞本社ヘリから猪飼健史撮影）

東京電力福島第1原発の敷地内に並ぶ処理水の保管タンク＝2023年8月22日（共同）

0ベクレルを大幅に下回っています。

東京電力福島第1原子力発電所の地下にある溶けて固まった燃料を冷やすための水や、建物の中に入り込んだ地下水や雨水が、放射性物質を含んだ「汚染水」となります。「処理水」とは、この「汚染水」をALPS《アルプス》と呼ばれる多核種除去設備で浄化処理し、含まれる放射性物質の濃度を低減処理した後、タンクに保管している水のことです。

処理水は、ALPSによってトリチウム以外の放射性物質が規制基準以下まで除去されています。トリチウムは、水素に中性子が2つ加わった物質で三重水素とも呼ばれる放射性物質です。トリチウムだけは、分子が水の一部となって存在しているため、設備での除去が困難なのですね。

ただ、トリチウムの出す放射線のエネルギーは小さく、紙1枚で遮ることができる程度です。自然界に水の一部として存在し、飲料水などを通して私たちの体に日常的に摂取されていますが、通常は新陳代謝などによって体外に排出されます。

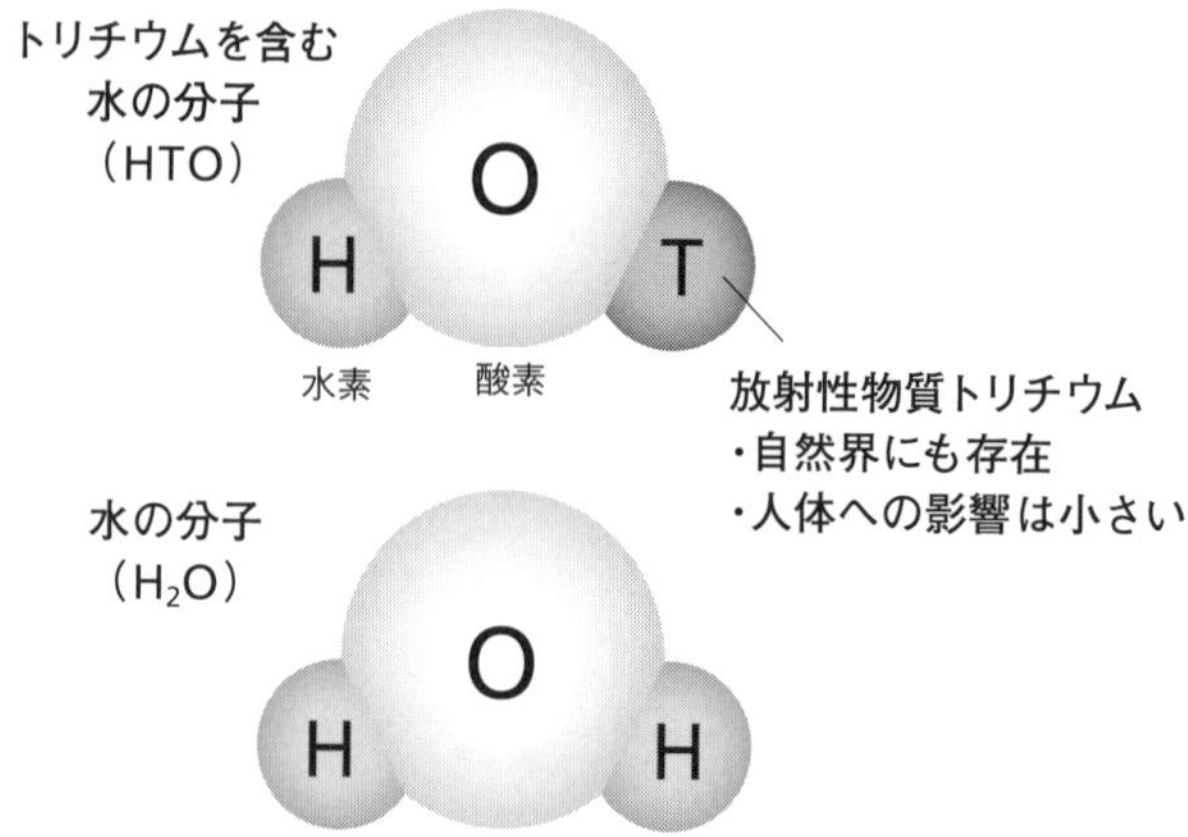

トリチウムは、世界中の原発排水に含まれています。経済産業省が公表している各国の原子力関連施設におけるトリチウム（液体）の年間排出量のデータによれば、東京電力福島第１原子力発電所の年間排出予定量は、液体で22兆ベクレル未満です。

一方で、フランスのラ・アーグ再処理施設は１京ベクレル（２０２１年）、カナダのブルースA・B原子力発電所は１１９０兆ベクレル（２０２１年）、イギリスのヘイシャムB原子力発電所は３２３兆ベクレル（２０２０年）、中国の寧徳《ねいとく》原発は１０２兆ベクレル（２

東京電力福島第１原発が処理水の放出設備を公開＝2023年8月27日（ロイター＝共同）

０２１年）、韓国の月城《ウォルソン》原子力発電所は71兆ベクレル（２０２１年）、アメリカのディアブロ・キャニオン第１・第２原発は40兆ベクレル（２０２１年）です。

　このデータに照らし合わせれば、東京電力福島第１原子力発電所の処理水に含まれるトリチウムが、ことさら多いというわけではありません。しかし、中国など一部の国は、日本の海洋放出を危険視して国際会議の場で執拗《しつよう》に非難しています。

　処理水の放出を受けて、中国外務省の報道官は「日本は全世界に核汚染のリスクを転嫁した」などと批判。中国政府は、2023年8月に日本産水産物の輸入を全面的に停止しました。この動きにロシアも追従し、同様の措置を講じています。元々の取引額の小さなロシアはともかく、中国は日本産水産物の最大の輸出先でしたから、日本の水産業界にとってこの禁輸の打撃は小さくはありません。

ただ、中国やロシアの措置は科学的根拠に乏しく、多分に政治的であり経済的な依存関係を武器として使った行為といえます。そして、中国では政府が処理水放出による食品汚染のリスクをあおり続けた結果、中国国内の消費者が海産物全体の安全性に不安を覚え、海鮮離れを引き起こしているといいます。

一方の韓国では、当初こそ不安を覚えた消費者が「塩の買い占め」などを起こしましたが、尹大統領が「国際原子力機関（IAEA）による科学的で客観的な見解を重視する」と述べたことなどもあり、現在のところ大きな騒ぎにはなっていません。

米軍横田基地内のスーパーで、北海道産ホタテを試食するエマニュエル駐日米大使（手前）＝2023年10月31日（共同）

２０２３年10月、大阪市と堺市で開かれていたＧ７貿易相会合後、中国が発動した日本産水産物の禁輸措置を念頭に、中国の直接の名指しはせず、日本産食品に対する輸入制限の撤廃を求める共同声明が出されました。

また、同月30日には、米軍が日本の水産業者と長期契約し、これまで中国を最大の輸出先としていた日本産ホタテなどを買い取るとしました。東日本大震災の支援で米軍が行った「トモダチ作戦」の第２弾だとし、ラーム・エマニュエル駐日米大使は「中国の経済的威圧から脱する最善の方法は、標的となった国家を結束して支援することだ」と述べています。

東京電力福島第1原子力発電所の敷地内にずらりと並ぶ処理水をためるタンクや、放射性物質を含む水を大量に海に流すというイメージは、確かによくありません。日本政府は国内外に向けて、誠実かつ粘り強く説明を続ける必要があるでしょう。日本は従来、海外からの批判には受け身になりがちですが、この問題に関しては積極的に世界で発言していくことが重要です。

核のごみはどこに保管するのか

東京電力福島第１原子力発電所の事故から12年たった２０２３年、原発処理水の処分作業がようやく動き出しました。この機会に、私たちは日本のエネルギー政策を再考しなくてはなりません。

発電には、大きく分けて、水力、火力、原子力という三つの方法があります。ほかに風力、太陽熱発電、地熱発電などもありますが、これらの割合はごくわずかです。

どの発電も、タービンと呼ばれる巨大な羽根のついた発電機を回すことで、電気を発生させます。

水力発電は、ダムから水を落とす勢いを利用してタービンを回します。火力発電は、石油や天然ガス、石炭を燃やして水を沸騰させ、出てくる水蒸気をタービンにぶつけます。

一方、原子力発電は、ウランが詰められた燃料棒が発する熱で水を沸騰させます。ウランの原子核に中性子を当てると、原子核が分裂します。この現象が「核分裂」です。核分裂は高熱の発生を伴います。原子力発電所はその熱を利用して蒸気をつくり、タービンを回して大量の電気をつくっているのですね。

火力発電と違い、発電の過程で二酸化炭素を排出せず、少ない燃料で大きな電気を得られる原子力発電ですが、使用済みの燃料棒が強い放射線を発することは大きな問題です。

放射線は人の体を通り抜け、その際に細胞を破壊します。浴びるのが微量の放射線であれば健康に影響は出ませんが、大量の放射線を浴びると、人体を構成する細胞は分裂ができなくなって死んだり、がん化したりします。原子力発電で必ず出てくる、この危険な使用済み燃料をどうするかは、人類の大きな課題です。

使用済み核燃料の中には、まだ使用できるウランと、ウランから変化したプルトニウム、そして再利用できない「核のごみ」が混ざっています。核のごみは高レベルの放射性廃棄物で、放射線量が人体に害がない程度にまで自然に減るのは10万年後だといいますから、気の遠くなる話です。それまでは、安全な場所に隔離して長期保管しておかねばなりません。その場所を「最終処分場」といいます。

核のごみの最終処分場をどうするかについては、原子力発電所を持つ世界各国が頭を悩ませています。これまでに最終処分場の場所を決めることができたのは、世界で北ヨーロッパのフィンランドとスウェーデンの2カ国だけです。

日本政府は2000年に、「核のごみは地下300メートル以上の深さの場所に埋める」という方針を法律（特定放射性廃棄物の最終処分に関する法律）で決めました。しかし、肝心の場所はいまだ決まっていません。そこで、政府は「受け入れてもいい」と手を挙げた自治体には、調査期間中の約2年間に最大

核のごみの最終処分場のイメージ

① 核のごみをガラスと混ぜた「ガラス固化体」を厚さ約20cmの金属容器に入れる
② さらに厚さ約70cmの粘土で覆う
③ 地下300mより深いところで岩盤に埋める

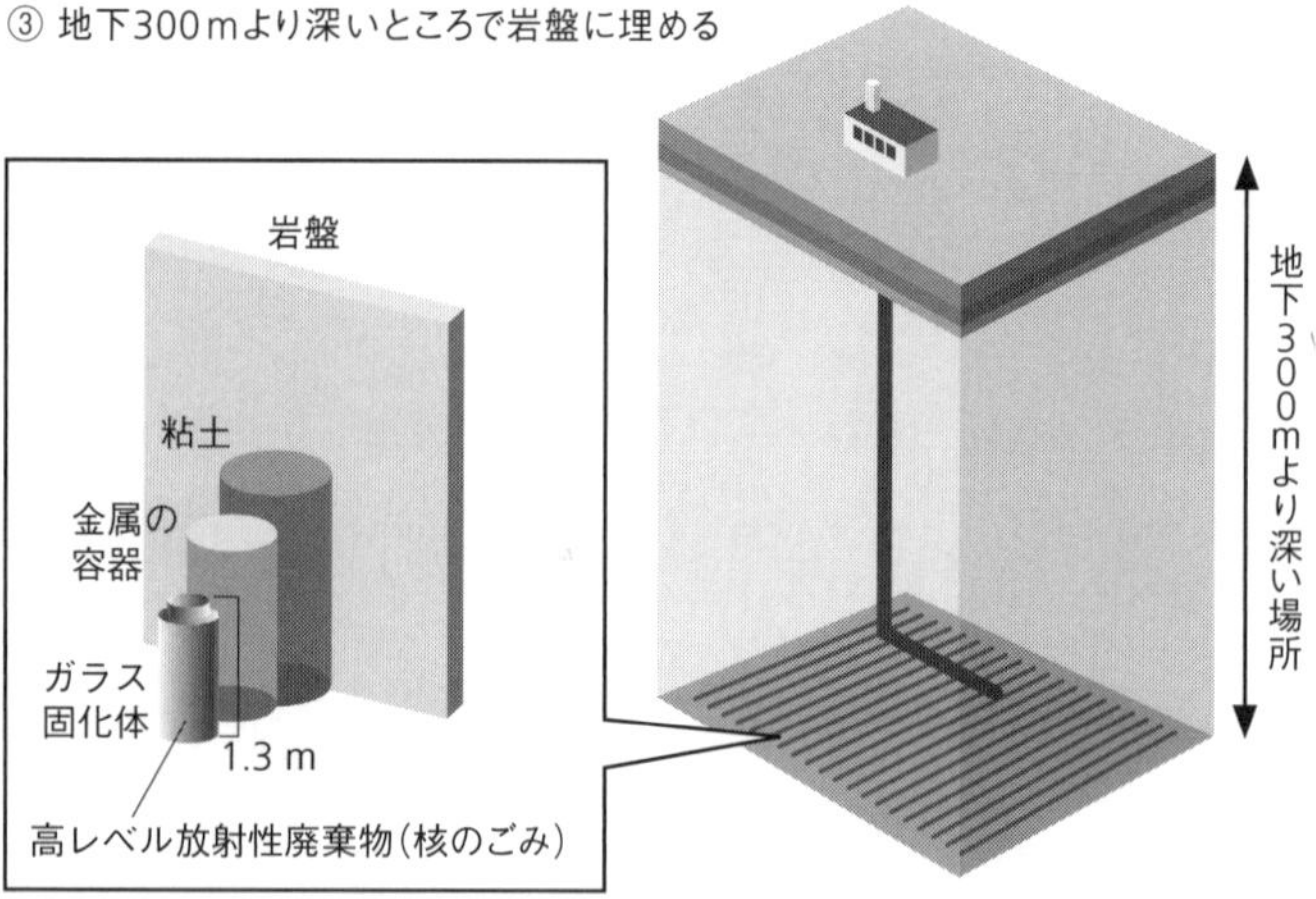

20億円の交付金を出すという発表をしています。

2020年、この呼びかけに応じたのが、北海道の西、北海道電力・泊《とまり》原子力発電所の近くにある寿《す》都《っつ》町《ちょう》と神恵《かもえ》内村《ないむら》です。二つの町村に関しては、選定の第1段階として、地質や火山活動などの資料を調べて最終処分場にふさわしい場所かどうかを確認する「文献調査」が、2023年10月、大詰めを迎えています。

文献調査をパスすると、第2段階として、実際に穴を掘って調べる「概要調査」が4年程度かけて行われます。

核のごみの最終処分場選定に向けた文献調査が行われている2町村

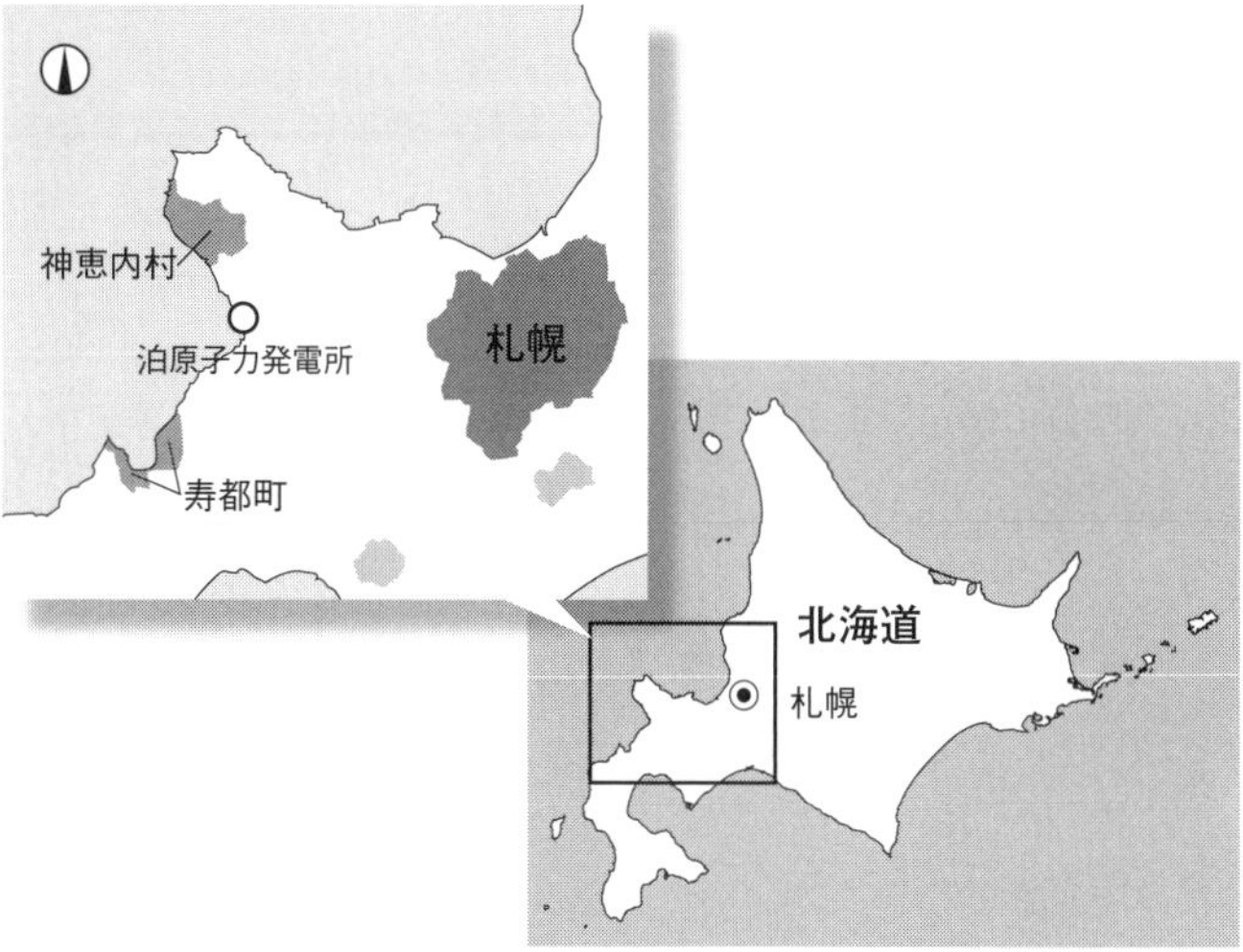

第2段階に進んだ自治体には、最大70億円の交付金が支給されます。それにパスすると、第3段階として、地下施設での調査・試験による「精密調査」が14年程度かけて行われます。つまり、核のごみの最終処分地選定に向けた調査の全行程は、20年以上にも及ぶのです。その間、原子力発電所が稼働し続けているかぎり核のごみは増え続けます。

原発事故を教訓に、原発依存を減らしつつ、エネルギーの多元化を進めるというのが日本政府の基本方針でした。ところが、岸田政権は２０２３年２月、原発の再稼動をはじめ60年を超える運転延長、新増設を掲げた「GX（グリーントランスフォーメーション）実現に向けた基本方針」を閣議決定しました。既存の原発を最大限活用するという、原発回帰の政策にかじを切ったのです。日本がこれからも原子力発電の利用を続けるのであれば、処分場建設は待ったなしの状況です。

関東大震災から100年――過去の地震を知り、次に備える

２０２３年９月１日は、多数の犠牲者を出した関東大震災から１００年の節目でした。近代の日本で最大の犠牲者を出した震災が、関東大震災です。震度は現在の基準で７相当、死者は約10万５０００人で、このうちの９割の死因が火事によるものでした。

東京での被害が強調されることから東京の直下で起きた地震だという誤解もありますが、実際の震源は相模《さがみ》湾北西部でした。

静岡県の熱海では、12メートルもの高さの津波が襲来し、土砂崩れや地滑りも相次ぎました。また、神奈川県・小田原では、地滑りによって駅に止まっていた列車がホームごと流され、海中に転落するという惨事も起きました。

地震発生の時刻はお昼時の午前11時58分、多くの家が火を使っていたのです。

地震による被害は東京・横浜を中心に死者・行方不明者10万人超。鉄道や電気、水道は途絶え、行政機能もまひした。東京・有楽町で＝1923(大正12)年9月(共同)

当時の一般家庭はかまどや七輪で料理をしていましたから、火の入ったそれらの上に木材や障子が倒れ込み、火が燃え広がりました。

また、当時の気象状況も被害を大きくしました。日本海に停滞していた台風に向かって南から強風が吹いていたため、火事が拡大したのです。現在の東京都墨田区では、陸軍の軍服工場跡に多くの人が避難していましたが、強風にあおられた火が「火災旋風」という炎の竜巻を引き起こし、その場所だけで3万8000人が亡くなりました。

関東大震災の後、東京には街路樹と

関東大震災で焼け跡となった上野公園を御巡視中の摂政宮殿下(皇太子時代の昭和天皇・左から5人目)。中央右から後藤新平内務大臣、1人おいて状況を説明する湯浅倉平警視総監、永田秀次郎東京市長＝1923(大正12)年9月15日(共同)

してイチョウが多く植えられるようになりました。イチョウは葉が厚くて水分を多く含みます。関東大震災の時も、多くの街路樹が燃える中、燃えにくいイチョウが火事の延焼を防いだのでした。過去の地震があったから、イチョウは「東京都の木」になったのですね。

関東大震災では、日本人には「地震がくると火事になる」というイメージが植えつけられ、以降は「グラッときたら火の始末」という標語が広まりました。私も小学生のころにこの標語を教えられたことを覚えています。

ところが、１９９３年の釧路沖地震

や2004年に起きた新潟県中越地震では、この標語に従って慌てて火を消そうとして転んだり、やけどをしたりする人が相次ぎました。そのため、現在では「地震だ！　身を守れ！」という標語にアップデートされています。

近年つくられたガス器具やストーブなどの多くは、揺れを感じると自動的に停止するようになっています。そのため、「地震が起きたらまずは自分の身を守る行動をとり、揺れが収まってから火の始末をする」ということになったのです。

南海トラフ巨大地震にどう備えるか

「トラフ」とは、「水深6000メートルまでの海底のくぼみ」のことをいいます（6000メートルより深いものは「海溝」といいます）。静岡県の駿河湾から九州の東方沖にかけて約700キロメートルにわたって続く海底のくぼみが、南海トラフです。近い将来、「南海トラフ巨大地震」が発生することが心配されています。

自然災害の多い日本において、それらに備えるために政府に設置されたのが中央防災会議です。2013年、専門家作業部会は、仮に南海トラフ巨大地震が発生した場合の最大被害を想定しました。2011年3月に起きた東日本大震災では従来の想定を上回る被害が出て問題になりましたので、「想定外」をなくそうと考えたのです。

南海トラフ巨大地震の想定震源域

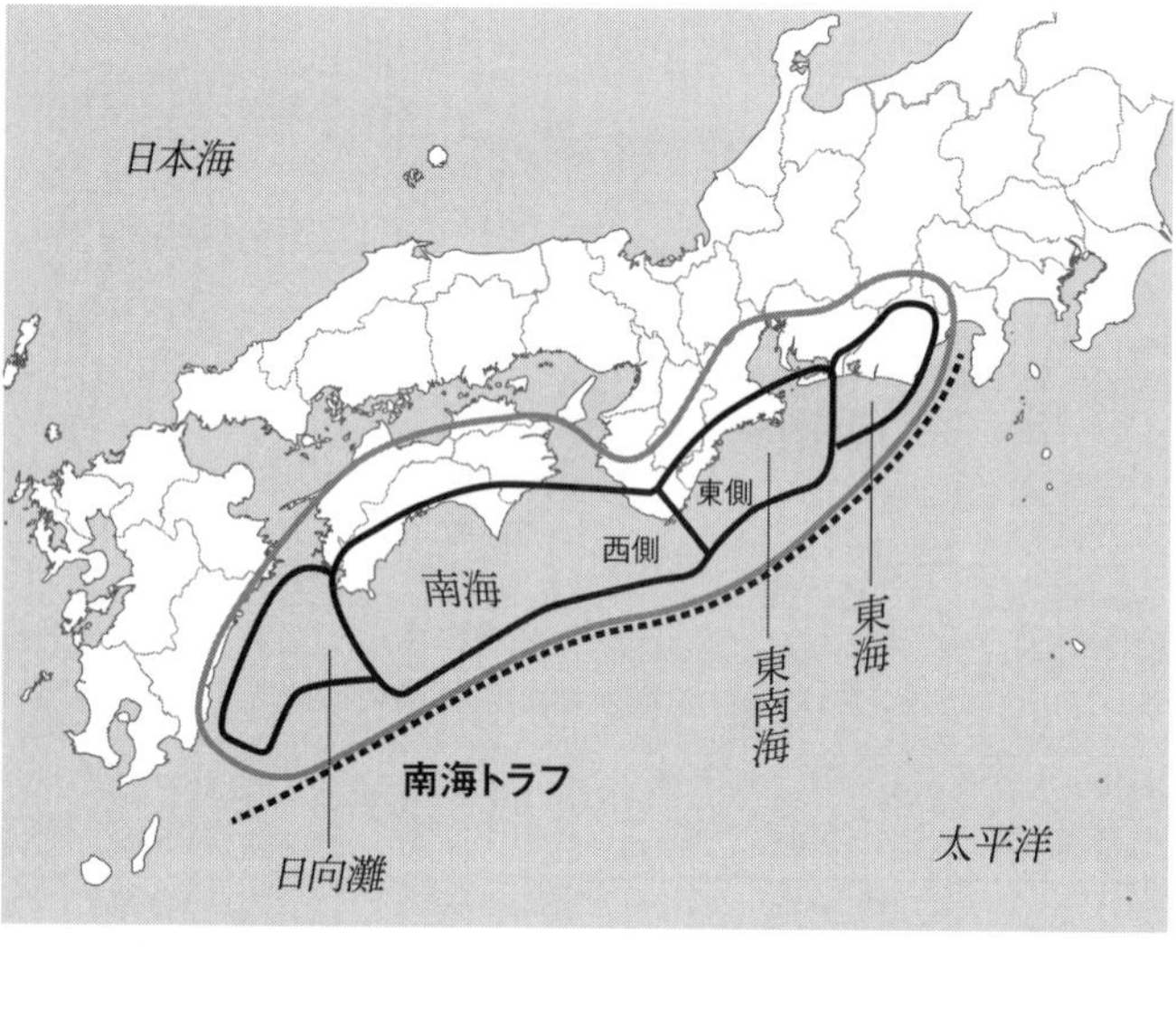

その結果、マグニチュード９・０～９・１の南海トラフ巨大地震が起きた場合、被害が最大となるケースでの死者・行方不明者が32万３０００人、全壊２３８万６０００棟、浸水面積は１０１５平方キロメートル、浸水域内人口は１６３万人との想定値が出ました。

また、資産等の経済面では、大きな揺れや10メートルを超える津波、火災などによって１６９・５兆円の被害が出ると想定されています。さらに、東海道新幹線や東名高速道路などが壊れて通れなくなれば、人や物は東西に行き来ができなくなり、生産が落ち込みます。こうした被害が50・８兆円出ると考えられ、被害の合計は２２０・３兆円にも上るとしました。

これらの被害予想は、人々を怖がらせるために出しているのではありません。少しでも被害を減らすことを考えるための材料としてまとめられたのです。

たとえば、建物の耐震化を進めれば直接の被害は半分に、生産低下などの被害もおよそ7割に減らすことが可能とされています。

南海トラフ巨大地震は今後30年以内に70～80パーセントの確率で起きる可

能性があるとされます。この数字には、専門家からもっと可能性が低いのではないかという疑問も出されていますが。

私たちが個人でできることは「南海トラフ巨大地震は起きるもの」と考え、日ごろから頭の中で避難のシミュレーションをし、食料や水などの非常持ち出し品と備蓄品の両方を準備することでしょう。自然災害というものは、備えれば備えるだけ被害は減らせるのです。

おわりに

「もしトラ」という言葉が交わされるようになりました。かつて「もしドラ」と略称される書籍があったので、そのもじりです。

「もしドラ」とは、『もし高校野球の女子マネージャーがドラッカーの「マネジメント」を読んだら』という長い名前の本だったので、略称で呼ばれるようになりました。それに対し、「もしトラ」とは、「もしトランプがアメリカの大統領に返り咲いたら」の略です。

トランプ前大統領が返り咲いたら、ウクライナへの軍事支援を直ちに止めるでしょう。「ヨーロッパのことはヨーロッパでなんとかしろ」という自説からです。今のウクライナがロシアの軍事侵攻になんとか耐えているのは、アメリカの巨額の支援があってこそ。支援がなくなれば、ウクライナは敗北してしまうでしょう。常にロシアのプーチン大統領を高く評価してきたトランプ氏は、プーチン大統領に花を贈るのです。

国際秩序を堂々と破って侵略行為に走ったロシアが勝利したら、世界は激変してしまいます。

トランプ前大統領は、任期中にパレスチナ難民を支援しているUNRWA（国連パレスチナ難民救済事業機関）への拠出金を停止しました。イスラエル寄りのトランプ氏はパレスチナを敵視していたからです。パレスチナは大混乱。日本とEUが、アメリカが抜けた穴を埋めました。バイデン大統領が誕生して、アメリカはパレスチナ支援を再開しましたが、「もしトラ」になれば、パレスチナは再び苦境に立つでしょう。

トランプ前大統領は、温暖化防止のための「パリ協定」から離脱し、バイデン大統領が再加入していました。「もしトラ」になれば、再びアメリカはパリ協定から離脱し、二酸化炭素を大量に出すようになるでしょう。

トランプ前大統領は、在韓米軍の撤退を考えていましたが、側近が必死になって止め、「2期目に実現したらいいではないですか」と言ったところ、「では2期目に」と発言したと伝えられています。在韓米軍がいなくなれば、北朝鮮は大喜びです。中国も、もし台湾を軍事侵攻した場合、在韓米軍が台湾支援に動くはずでしょうから、いなくなれば好都合です。となると、在日米軍はどうなるのでしょう。

こうしてみると、「もしトラ」は、日本にも重大な影響を及ぼします。世界の各地で起きる国際的な出来事は、回り回って日本にも大きな影響を及ぼします。だからこそ、世界情勢を知ることは大切なのです。

この本は、毎日小学生新聞で連載してきたニュース解説を元に、大人にも十分読んでいただける内容に加筆修正しています。文字通り「一気にわかる」ものになっているはずです。書籍にするにあたっては、毎日小学生新聞元編集長の森忠彦さんや毎日新聞出版の峯晴子さんにお世話になりました。

2023年12月

ジャーナリスト・名城大学教授　池上彰

池上 彰（いけがみ・あきら）

1950年、長野県生まれ。ジャーナリスト。慶應義塾大学卒業後、1973年にNHK入局。1994年から11年にわたり「週刊こどもニュース」のお父さん役を務め、わかりやすい解説が話題になる。2005年よりフリーのジャーナリストとして、テレビ、新聞、雑誌、書籍などで幅広く活躍。現在、名城大学、東京工業大学など6つの大学で学生たちの指導にもあたっている。おもな著書に「知らないと恥をかく世界の大問題」シリーズ（KADOKAWA）、「おとなの教養」シリーズ（NHK出版）、「池上彰の世界の見方」シリーズ（小学館）、「そうだったのか！」シリーズ（集英社文庫）、「日本左翼史」シリーズ（佐藤優氏との共著、講談社現代新書）、「一気にわかる！ 池上彰の世界情勢」シリーズ（毎日新聞出版）がある。そのほか『歴史の予兆を読む』（保阪正康氏との共著、朝日新聞出版）、『独裁者プーチンはなぜ暴挙に走ったか 徹底解説：ウクライナ戦争の深層』（文藝春秋）、『問題はロシアより、むしろアメリカだ 第三次世界大戦に突入した世界』（エマニュエル・トッド氏との共著、朝日新聞出版）など多数。

一気《いっき》にわかる！池上彰《いけがみあきら》の世界情勢《せかいじょうせい》2024

ガザ紛争《ふんそう》、ウクライナ戦争《せんそう》で分断《ぶんだん》される世界編《せかいへん》

2023年12月25日　印刷
2024年1月15日　発行

著者　池上彰《いけがみあきら》

発行人　小島明日奈
発行所　毎日新聞出版
〒一〇二-〇〇七四 東京都千代田区九段南一-六-一七 千代田会館五階
電話 営業本部〇三-六二六五-六九四一 図書編集部〇三-六二六五-六七四五

印刷・製本　光邦

ISBN978-4-620-32799-0